파도라는 거짓말

문원민 지음

PUNG
WOL
DANG

차례

물 마중 – 숨비소리

너의 부피를 떠받드는 일
아직 물 밖으로 나오지 못한 너의
팔과 어깨를, 네가 참아 낸 숨만큼의
청각과 우뭇가사리와 소라고둥이
물 속에서 차지하던 부력을 떠받드는 일
구멍 숭숭 뚫린 그물 망태를,
호오이, 휘어이
토해 내고 들이마신
휘파람 소리를,
물 속에서 견뎌 낸 네 슬픔을
물 밖으로 건져 내 반겨 주는 일
물 속에서 들으며 안심하는 일
더 빨리
내뱉다 남은
목까지 차오른

깨금발

저 선을 넘으려고
허공에 발을 묶네
실도 없고 줄도 없이
묶여질 마음만,
네게 넘어가려면
디디고 있어야 하는,

힘차게 탕탕탕 세 걸음을 뛰어
실금 위로 붕 떠올라
허공과 그림자를 번갈아 잡아채는,
아무도 눈치 못 채게 부싯돌 같던

찬란

누구나 좋아하는,
윤슬처럼 갖지 못하는
독점할 수 없는 말
펑펑 첫눈 내리듯
숨겨지지 않는 말
세 번 썼으니 두 번 남았다고
따질 수 없고,
신열 나게 갖고 싶다가
가졌다고 만만하게 휑해지지 않는 말
늘 걸치고 다녀도
바래지지 않을
안아 주고 싶을 때
시고 달콤한 눈깔사탕처럼
녹여 먹다 실수로 삼켜 버리고 말
이 엉큼한 말

천택天澤이네 사진관

천택이네 사진 찍으러 가는 길은
늘 배가 고파요
숨 참으세요, 쉬세요
웃음 참으세요
이제 됐어요
빛이 그림자가 되고
그림자가 빛이 되는 사랑의 묘약

차르르르
영사기 필름 되감는 소리
세월을 되감아요
더 사랑해 줄걸
까끌까끌한 이름 세 개가
입안에 맴돌아요
언덕 세 개를 넘어갔는데도
숨이 가빠지면 그날은 사진을 안 찍어 줘요
면도도 하고 화장도 하는

내가 젤 좋아하는 맛은 바닐라 향 피치
팔뚝에 웃음 참는 주사를 놔 주는
천택이네 사진관엔 하늘이 고여요

천택이네 사진관은
손 없는 날에만 가야 해요
장수하라고 지어 준 하늘 천天, 못 택澤
흔해 빠진 영어 이니셜 CT 대신
내가 지어 준 새 이름

풍경 風景, 風磬

지팡이 든 시각장애인,
휠체어 탄 암 환자
서로를 못 보고 나란히 걷는다

한 사람, 매끈한 바닥에서
길 안내해 줄 울퉁불퉁 노란색 블록 찾아
허둥대며 허공에 검은 지팡이질 하고

또 한 사람, 울퉁불퉁한 노란색 블록에서
벗어나 매끈한 길 가려고
진땀 흘리며 은색 바퀴를 구른다

두 사람의 질주를 곁눈질하다
앞이 안 보이는 이와 앞날이 안 보이는 이 중
누구 손을 잡아줄지 망설인다
나도 주사 폴대 끌고 가느라 손이 하나뿐인데

마음의 눈 감은 사람들 무심히 지나친다

바람이 풍경風景 지나듯
서로 비껴갔으면 되었을 것을

물고기가 풍경風聲 울리듯
서로 울렸으면 되었을 것을

추운 날 가만히 앉아서 동전 줍는
거리의 천사들 보듯
눈살 안 찌푸리면 되었을 것을

달팽이 의자

폐가를 드나들던 그늘의 일꾼,
당신이 수의 곁에 두고 온 단추는 무슨 까닭인가요
형형색색의 동쪽 바다를 향해
뒤꿈치로 깨금발 든 당신,
축축해진 우산을 펼쳐 들면
비의 은유가 깨달아지나요

행선지도 모른 채 상여 위에 걸터앉은 달팽이 의자
미끄러지지 않으려면
더 작고 단단한 집이 필요하다고
좁은 문으로만 들어가는 당신,
움츠림이 당신의 기도였군요
내 흰옷에 단추를 달게요
해진 흰옷을 다려 입고
폐가가 되기를 기다립니다
의자에 드리우는 그늘이 됩니다

.-- .- ...- . *

쉬지 않고 타전해 오는 부재중 모르스 신호
말씀하세요 제 몸에 당신의 글자를 새기겠습니다
아무에게도 기록된 적 없는,
누구도 해독한 바 없는,
높고 낮음, 길고 짧음만으로
전하는 당신의 비의를,
쏠림이나 패임만으로 된 표의문자를
제 몸에 새기겠습니다

숨죽이고 써 내려간 당신의 교지,
읽으려는 찰나 또 한 말씀 남기시니
유배지로 전송된 조난신호를
오래오래 제 살갗 아래 봉인하겠습니다

* 파도wave의 실제 모르스 부호 표기임.

정오의 그림자

잽싸게 피한 물웅덩이 위를
첨벙첨벙 걸어 나오는 발 없는 당신이
두 팔로 땅을 짚고 일어서며
물었지요 나는 왜 늘
당신의 왼손 약지에 매달려 있어야 하나요
늘 내 뒤를 캐다가 웬일로 앞서가는
당신의 시선이 내 오른손 반지에서
수줍게 빛납니다

빗발이 거셀수록 튀어 오르죠 당신은
내 오른팔을 기어이 꺾고 말죠 당신의 왼팔은
바람 속에서 미동조차 없던 당신,
한 번도 혼자 서 있어 본 적 없던 당신과
나 사이의 경사,
한 번도 의심하지 않은 적 없는
완벽한 당신의 알리바이,

자 정오예요

이제 안아 줄 시간이에요
나의 오른쪽과
당신의 왼쪽
두 개의 박동이
맞닿을 시간이에요

틈

살아 있다는 건
뛴다는 것이다

죽은 줄 알았던 내가 아직 살아 있다는 건

펄펄 끓는 물 주전자
꾹꾹 들썩이는,
한 줄씩 줄줄줄 흘리고 마는,
주전자 뚜껑을 닮은
눈꺼풀 덕분에

뜨거움 위에 올라서서
딸그락 딸그락
저 뚜껑처럼 소리 나는 눈꺼풀을
아직 봉하지 않았다는 것이다

단번에 넘쳐흐르지 않는 틈

그림자에 대한 예의

그때 정말 당신이 행복했다면,

그때 그곳 흑백사진이라도
빼곡했던 나뭇잎 하나하나의 색깔과,
붉에 비친 구름의 형체와
내 얘기에 귀 기울이던 사람들의 고요와
그 이름들과 그 웃음소리의 높낮이
그 사이를 부지런히 오가던 바람의
감각과 냄새까지 기억해 낼 수 있을 거예요
가끔은 흑백사진으로만 남겨야지요
명도의 차이만으로
초록과 파랑과 빨강을 복기해 내는 것,
그렇게 나는 지나간 시간에 대한
예의를 지킵니다

임랑 林浪

임랑을 잊지 마세요

낙조와
유영하던 외기러기와
투명한 물빛과
주인 없던 부이와
얕은 물가 나지막한 돌무덤들과
파도를 따라 울렁거리던 해초와
씻겨 나간 발자국들과
짧은 탄식과 긴 떨림들과
피치 향 민트와
와르르 무너져 내리던 박동과
다음을 찾지 못해 방황하던 손끝과
두꺼운 추억들과
보잘것없는 생활과
까닭 없는 습관과
말랑거리는 코끝에서

벼랑 끝처럼 멈추어 서던 호흡을 잊지 마세요

해냈습니다
고통 앞에 비굴하지 않았고
율법 앞에 무릎 꿇지 않았어요

외줄타기의 끝과 끝이 맞닿은 겨울 바닷가,
임랑의 온기를 잊지 마세요

임랑林浪은 수풀을 헤치고 일어서는 파도입니다

파도라는 거짓말

파도는 멈춰 설 수 없어서 파도가 되었습니다

주상절리 해안의 검은 절벽,
몽돌해변의 모서리 하나 없이 낡아
아기 동자승 머리처럼
동그랗고 반질거리는 조약돌,
아이의 발가락 사이로 사르르 스며들었다
얼음처럼 순식간에 녹아 버리는
새하얗고 너른 백사장 마당,
온 해변의 쓰레기들을 옷처럼 걸친 채
뚜벅뚜벅 걸어 나와 털썩 주저앉은 해초 더미 위,
그 바닷가에 더 이상 살지 않는 어부 가족처럼
좌현으로 쓰러진 목선의 바닥,
빨간 등대 주위를 호위병처럼 늘어선 테트라포드,

파도는 상대가 누구이건 멈춰 서는 법이 없습니다
큰 상대일수록 더 거세게 질주하여
온몸을 부딪치고 깨어집니다

전속력으로 수직 낙하하는 폭포수처럼
수원을 찾아 귀향하는 연어 떼처럼
묻힐 곳을 찾아 쉬지 않고 달려온 파도는
죽을 때가 되어서야 멈춰 설 수 없는 파도가 됩니다

파도는 멈춰 설 수 없어서 파도가 된 것입니다

뒤돌아보던 순간 소금기둥이 된 롯의 아내처럼
잠시만 뒤돌아본다면 이대로 화석이 될 거라는
바다의 속삭임조차
파도의 뼈를 멈춰 서게 못 합니다
겨우 움푹 파인 네 개의 발자국 한 쌍을
지우고 사라질 줄 알면서도
억만 겁을 태어나고 다시 죽어
부드럽고 잘 휘는 생선 뼈 같은
줄 하나를 비목처럼 남기고 파도는 죽습니다

파도의 맹렬한 질주

그것을 무너지게 한 그 모든 파도의 묻힌 자리가

뼈 한 조각 남김없이 죽은

파도의 화석입니다

일형식 문장

　그대 라는 여백에 푸른 이라는 형용사, 고향 이라는 주
어에 오랫동안 이라는 쉼표, 그 후로도 라는 부사에 그곳
이라는 따옴표, 멀어진 띄어쓰기와 혹시 라는 행갈이 뒤,
하지만 이라는 마침표를 쓰고 나니 여백은 오간 데 없고
나만 혼자 남았습니다

할매탕

여드름이 꽃처럼 번지던
어두운 변성기를 지나
주체할 수 없던 청춘의 뒷골목과
열매 없이 꽃피던 젊음과
퇴화할 수밖에 없는 중년의
슬픔의 역사를 모두 아는
비뇨기과 전문의처럼

세로로 사 등분 해
등과 왼쪽 오른쪽 옆구리와
앞가슴과 사타구니의 포지션을 달리해
쓸어내리던 아나토미,
모든 장기의 위치와 쓸모와
잘려 나간 췌장의 크기와
뼈와 뼈가 맞물리는 각도를 아는
해부학자처럼

백악기와 그전의 쥐라기와
빙하기와 신생대를 거쳐
영장류가 번성하던 시절의
퇴적층, 피부로부터 지방을 지나
깊은 속살과 혈관과 뼈가 맞물리는
길까지 속속들이 아는
고고학자처럼

삶의 깊이와 근육의 단단함과
코뼈의 경사와 말랑거림
쇄골을 감싸고 있는
피부의 무게까지 일일이 재어 본
측량사처럼

이태리산 수건 한 장 들고
이마에 난 뜨거운 땀을 뿌리며
불룩 나온 배를 쿡쿡 쥐어박으며

정성을 다해 삼만 원어치
눌어붙은 누룽지 같은 비늘을 벗겨 내며
습襲과 반함飯含과 소렴小殮 대렴大殮을 하는
장의사처럼

노란 장판이 깔린 세신 테이블에서 일어선 나는
꼬깃꼬깃 접힌 오만 원권 지폐 한 장을 내려놓고
거스름돈을 사양하며 요구르트 하나를
빨대 없이 마시며 문상 가는
조문객처럼

기다릴 때

그늘은 앉지 않는다
온기를 남기지 않는다

바람은 서서 쉬지 않는다
등 뒤에 묻혀 온 너의 안부를 두고 갈까 봐

그늘은 의심하지 않는다
바람은 원망하지 않는다

사람을 기다릴 때
사람 아닌 것처럼 기다리는 그대여,

가상칠언架上七言

1.

죽음은 참 다정한 친구 같아서
너에게 늘 말을 건네지만
잊고도 살아지니 떠난 연인 같아라

2.

힘없고 약하고 어린 것들아
내가 대신 아플게
네 병을 모두 내게 다오
내가 대신 울어 줄게
모두 내게 다오

3.

죽음은 돌아오지 않는 남편 같아서
어느 길목에서 우연히 마주친다면
잊고도 살아왔으니
이제 서로 지나치리라

너의 접경에서 앓아 왔던 시간만큼

너의 변방에서 내가 나부껴

4.

사무친 사람들

믿었던 사람들

그 이름을 다 내게 다오

내가 대신

까무룩 앓아도 보고

숨죽여 웃어도 볼게

모두 내게 다오

5.

죽음은 시한부 판정받고

집 나간 아내 같아서

간다 온다 말도 없이

그저 한없이 기다리기만 하는 일

6.

세상에 헤어진 것들아
내가 대신 헤어져 줄게
나는 어차피 헤어질 사람이라
꼭 헤어져야 만나질 사람이라

7.

홀씨처럼 깃발처럼
녹슨 못자국처럼
내가 나부껴

럭키아파트

엄마 이게 무슨 고기예요
에레이 갈비란다
에레이요 에라이 할 때 그 에레이요
몰라 에레인지 에라인지
엄마는 15년째 럭키아파트
남가주 물산 회장댁 파출부 아줌마
사모님이 싸주셨다던
고1 때 첨 먹어 본 에레이 갈비

아르바이트 구하다
부자동네 수학과외 선생 자리를 잡았다
잘 먹어서 볼살이 통통한 고1 경우는
귀에도 살이 붙었는지 말귀를 못 알아먹었다
경우의 수를 가르쳐 주다 이런 경우도 있나 싶게
학생이 문제를 내고 선생이 문제를 풀다 왔다
틀리면 안 되니 비지땀 흘리며 다 풀어 갖다 바치면
경우는 비지땀 흘리며 퍼질러 자고 있었다

노크 소리가 들리는데

뒤꿈치 닿는 소리가 안 들린다

선생니임 이거 좀 드시고 하이소

귀에 익은 목소리가 낯설게 말을 건다

과일 접시를 책상 위에 올려놓는 손

물 한 방울 안 묻힌 하얗고 긴

엄마 손

깜짝 놀라 뒤돌아보니 엄마가

손으로 쉬이

눈으로 말씀하신다

민아야 여기가 엄마 일터다

왈칵 눈물 아닌 것이 눈물처럼 쏟아진다

경우가 흘리던 비지땀 위로

다음 날 주인아주머니께 전화를 걸었다

그 댁 아드님 못 가르치겠습니다

왜요

제가 실력이 달리는 건지

경우가 말귀가 어두운 건지

경우의 수를 도통 이해를 못 합니다

어떤 경우를 말씀하시는지

(울 엄마한테 밥 얻어먹고

그 아들한테 문제 풀라고 시키고서

처자빠져 자는 건 경우가 아니잖아요)

어떤 경우가 일어나는 경우의 가짓수라는

말을 이해 못 하는 경우는

경우가 아니라는 말입니다

그날 저녁 럭키아파트 102동 앞

각그랜저들이 즐비한 주차장 그늘에 숨어

퇴근하는 엄마를 기다렸다

엄마 에레이 갈비 말고 LA 갈비나 먹으러 가요

에라이

'아범아, 보고 싶구나'

바다 건너 인편으로 도달한
"사랑하는 며느라"로 시작하는 시어머니 편지,
"일등 말고 세상에 필요한 사람"이 되라는 할머니 편지,
아이들 졸업 축하 금일봉 – 백 불권 미화 다섯 장,
……

설마 하며
아무리 입김 불어 봐도 빈 봉투만 남았네

만지작 만지작
만지지 못한
빈 봉투 입을 열고 울먹한 귀 기울이니
그제야 들려오는 어머니의 방백,

고향 냄새

낚시 다녀온 이웃 김씨가 건넨 생선 세 마리,
머리 떼고 배 갈라 뒷마당에 널었더니
볕 좋고 바람 좋아 꾸들꾸들 말라 가네

바닷가 비탈마을 골목에는
집집마다 비린내가 진동했었지
대문 옆 개수대 바닥엔
눌어붙은 비늘이 반짝반짝 빛났었지

이역만리 뒷마당이 비린내로 진동한다
눈 감고 볕 쬐고 앉아
종일 나도 진동한다

흔적

아버지 등 한 번도
밀어 본 적 없는 아들,
고였던 눈물 바가지에 길어
바람에 굳어 버린 몸을 불리고
아버지의 몸에서 나온 때를 뭉쳐
진흙처럼 사람 모양을 빚었다면
내 손과 팔다리를 똑 닮았을 테다

멀리 가지 마소
속절없는 당부에도
당신은 저 너른 바다 위를
유영하는 파도의 주름처럼
뭉치었다 말리었다
흙장난하며
얕아서 깊은
흔적을 남겼다
등 한번 밀어 줘 본 적 없는
아들의 몸 위에

나물 반찬

한입 크게 밀어 넣은 것은 분명 밥이었는데
목구멍 넘어가는 건 뜨뜻한 눈물입니다

고사리, 취나물, 호박, 오이, 청국장, 전어젓, 들기름…
넣고 또 넣다 깜빡했다며
더 챙겨 넣다
입을 옷 넣을 자리 생각 못 한
해진 몸뻬 바짓단 밑으로 드러난
엄마 부은 발등

유전의 법칙

그림자가 닮았다
덩실덩실 춤추며 걷는 여섯 살 그림자가
일흔다섯 그림자 굽은 허리를 세운다
그림자가 그림자 보며 방긋 웃는다
눈가 깊이 주름진 그림자가
볼 위 홍조 띤 동그란 그림자 보며
오늘은 환하게 따라 웃는다

새하얀 눈 머리 위에 소복이 얹고,
가빴던 굽은 등 허리춤에 둘러업고,
휠체어 두 바퀴에
반질반질 닳은 무릎을 얹고
저 너머 그녀가 온다

첫눈

눈이 내렸으면 좋겠습니다
밤새 하늘길 달려 마주한 순간
아무 말 없이 아무도 밟지 않은
그 길을 발자국 두 개만 남기며
등에 업고 걸었으면 좋겠습니다

당신 뜨거운 몸에서 내려와
내 두 발이 아장거리며 걷던 그때까지
안기거나 업힌 채로 살았던 그 시간만큼
당신을 업어 드리고 싶습니다
머리에 앉은 하얀 눈이 얼 때쯤
솜털처럼 가벼워진 당신의
등에 업혀 듣던 두 소절 멜로디를
소복이 불러 드리겠습니다

가을 달

다섯 해만 지나면
죽은 니 아버지랑 갑장이 되는구나

스물다섯 치자 향 휘감고
세간살이 둘러매고 넘었다던 영도다리 그늘에서
한 움큼 치자 꽃씨 뿌리듯
손가락 사이로 아버지 흘려보내자
끼룩끼룩 갈매기 떼 모여들었다

딱 그렇게 예순다섯
사십 년 먹여 살린 자식 같은 남편을
이 송도 앞바다 비추던 가을 달처럼
채근 없이 보듬고만 산,

음력 8월 15일에 태어나
생일이 일 년 중 가장 고된 하루였던,
추월이라는 이름을 가진,

이제는 일흔다섯 우리 어머니,

죽은 아버지보다
다섯 살 누이가 되신단다

개골개골

한 달을 새벽마다 찾아오던 개구리가
어제부터 보이지 않는다
엄마한테 갔나 보다

환대

뒷마당에 날아든 들꽃 한 송이
갈 바람에 씨뿌리고
가을비에 몸 씻고
가을볕에 머리 말리더니
하루살이 떼
날아오르는 뒷마당에 무더기로 피었네

일흔 노모 지어 보낸 목화솜 이불인 양
시린 발끝 서로 비벼
하얗게 하얗게
서리서리 피었네

그 집 앞

다 타 버린 심지같이
재처럼
그 집 앞을 밝히고 섰습니다
오래오래 머물다 가라고
소매 끝 붙잡지만

심지 주위 흥건해진
촛불의 눈물처럼
당신의 지문에
반들반들 녹았습니다

언제 그 손 뿌리치고 일어서는
날카로운 매무새가 되는지
가다듬어 보지만

당신을 베어 내긴
낡아 윤이 나는

칼등처럼 주저합니다

오래오래 붙잡아 주기를
쓸모를 다한 날카로움
애당초 베지 못하도록
만들어진 칼끝

새카만 촛불의 심지처럼
둥글게 말고 말아
그 집 앞을 재처럼
밝히고 섰습니다

그 집 앞 창가에
전등이 켜질 때까지

이십 년

자려고 누웠다가 슬그머니 발을 포개는 것,
화들짝 놀란 더운 발이 찬 발을 밀쳐 내다
못 이기는 척 작은 두 발로
큰 한 발을 시큰둥 감싸 주는 것

고향 생각

24만 마일 멀다는 달은
저리 살뜰하게 저녁마다 얼굴을 보이는데,
고작 7천 마일 내 고향은
아득해서 꿈에서조차 보이지 않네

할매 냄새

(슬픔을 마중 나가지 말 것)

2013년 7월 18일 새벽,
먼 길 떠나는 어린 손녀들
속옷속옷 사이사이
마디마디 한 장 한 장
톡톡톡 두드리며
웃으며 울며 웅얼웅얼
숨기듯 개켜 넣은

Magnolia

목년아 보고 싶구나…
봄비 오면 흘려보낼 일이지,
양파 낙장 모양
뜬 낯으로
참수당한 모가지
개울가에 효수하고
백날 앉아 기다려
고랑이 여름내 범람해도
멍든 얼굴 못 씻었구나
목년아 보고 싶구나…

푸네Pune에서

장미 한 송이 팔아 줘요
저처럼 붉어질 거예요
가시가 없거든요
해롭거나 다치지 않아요
한 땀 한 땀 제 손으로 가시를 발라냈거든요
손끝을 찌르거나 피 흘리게 하지 않아요
이미 제가 다 흘렸거든요
이봐요 낯선 아저씨, 저처럼 붉어질래요
스카프는 덤이에요
내일은 뭄바이에 큰바람이 진대요
같이 나부껴 보아요

잃어버린 사람

돌고 돌아 여기까지 왔다

침묵과 빛
단단한 희랍어
조르바의 말이
내게서 떠나 내게 남는다

온전히 잃어야만 내 것이 되는
온전한 잃음만이 몸에 새겨지는
잃어버린 책
잃어버린 노래
사람이 다 그렇더라

그대 나 또한 잃게 되리
그때 나 그대 몸에 새겨지리

해후 邂逅

침묵과 빛
그 희미한 환영의 시간
하얀 눈가리개를 한 채
너의 시간으로 다시 돌아가 목놓아 울었다
몽롱한 산들바람이 울음을 걷어 가고
몸을 숙인 채 불가능 위를 행진한다

가 본 적 없는
너의 시간, 또 나의 시간,
바로 그곳에서
보통 사람이 되어 다시 만나자
은밀한 별자리 그곳에서 보자
가벼운 물소리가 들리고
그 하늘에 막 별이 돋을 때
죽어서 살아
그곳에서 만나자

그곳에서 마주 보자

눈 감은 채 몽롱하게

작고 귀여운 절벽 두 개가 되어

그곳에서 만나자

눈 감아야 보이는

몸과 몸 사이 난 길, 좁히고 좁혀 땀과 땀으로만 맞닿고 싶지만, 입에서 귀로 전하는 동안 떠내려간 함의와 은유를 한여름 개울가 등목처럼 벗은 몸 위에 시원하게 끼얹어 주고 싶지만, 남루한 말들의 거죽 벗어던지고 가슴 비비며 살갗에 돋은 용기만으로 흉곽 안의 노래 들려주고 싶지만

바람을 등대고 선 나무―풍화에 덴 자리, 화인 핥으며 딱지 앉을 때까지 사나흘만이라도 눈꼬리 마주 보고 지켜 서 있고 싶지만

천지 광명 속 눈 뜨고는 보이지 않는, 눈 감아야만 보이는 노을이 지고, 함구한 꽃들이 숨을 죽이고, 골목길에 선 열촉 전등이 까무룩 까무룩 앓다가

발적 같은 그리움이 거품 물고 기대선 담벼락에 서서
쏟아져 내리는 별 무리 견디지 못해

눈을 감으면,
눈꺼풀 너머 나무처럼 등 돌리고 선
눈 감아야 보이는,
숲속 오솔길 뒤 숨은 나목같이
가로로 서 있는

다정

침묵을 깨트리기에 침묵만큼 다정한 말이 없지
볕을 드러내기에 그늘만큼 밝은 데 없지
곁에 세워 두기에 연기만큼 조용한 게 없지
터뜨리지 않고 밤새 지기만 하는 일
숨어 지내기에 니 곁만큼 다정한 곳이 없지

길을 잃다

난 지금 미다스의 손이 됐어요
내 손만 닿으면 모든 것에 물집이 생겨요
그 찰랑이는 황금물이 날 유혹해요
들어오라고 여긴 얕아서 아킬레스 언저리도
잠기지 않는다고 정말이에요
살과 살이 맞닿아 생긴 생채기
아무렴 어때요 깊이 없는 당신
길을 잃었어요

개미집

숲이 꽃 피워 준 풀에게 건네듯

풀이 땀 흘려 준 흙에게 건네듯

나도 너에게 그늘인 줄 알았더니

나는 너에게 어둠이었구나

뜯겨 나간 여치 다리 한쪽

둘러업고 길게 선 상여 행렬

어느 끝자리 즈음에서

소리 죽여 웃고 있는 개미 한 마리,

비가 새지 않는 집을 만들 거야, 꿈꾸다

처마만 남은 낡고 녹슨 빈집에서

거꾸로 죽은 거미 한 마리,

이제 곧 아침이 올 거야, 하고 쏘아 올린 조명탄이

나에게 가려 보이지 않는 너에겐

몸이 흘린 눈물이라며

땀으로 슬픔을 위장하는 법만 가르칠 거야

Paris, TX

    숲으로 난 긴 통로를 지나면 그 길 끝 어디선가 푸른
사막과 마주칠 수 있으리라 생각했다 붉은 해의 마무리
는 언제나 수면에 일렁이는 멀미처럼 규칙 없이 쪼개져
중앙부터 맞춰 나가야 하는 천 조각 퍼즐, 혹은 어떻게
기워도 어둠 편으로 새 나가고 마는, 틈새를 통과해 낸
저 벽 너머의 소리

벽난로

불이 검다

벽장에 타오르는 불길이 검다

재처럼 하얗던 네 얼굴이 검다

땡볕에 익은 몽돌처럼

바람에 타 버린 낙엽처럼

니 얼굴이 검다

세월 따라 갈라진

네 심장이 검다

엄동설한 이국의 하늘 아래

모여 앉은 무국적의 이방인들,

빠져나갈 통로

보이지 않는 동굴처럼 검다

섬머스마

소년아,

맞바람 안고 팔랑개비 돌리며
동네 골목길 뛰어다니던,
도깨빈 줄 알았던 산지기에 놀라 파르르 산 아래로
강아지풀처럼 몸을 날리던,
동무 어깨 밟고 올라 담장 너머 무화과를 따던,

호기심과 배고픔이 동의어였던,
두발자전거에 몸을 싣고
안개의 바리케이드를 뚫고 달리던,
아버지 주정을 피해 뒷산 무덤가에 잠이 든,
이제는 태풍을 피해 해안가에 좌초한

선박 같은 중년아,

벌거숭이 동무들은, 앞니 빠진 섬소년은 어디 있느냐

병病

둑이다 보편을 가로막는 담

낯섦이다 설렘으로 위장한 기습

허락 없이 뜯긴 주소불명의 연서

사면이 헐려 나간 이 빠진 낙관

너를 열고 나서자 닫혀 버린 출구

성근 체를 통과해 낸 한 줌 섬광

거름종이 위를 부유하는 점액질의 눈물

떼어 놓아도 절연되지 않던 삼촉 전구의 하얀 거짓말

거기 가만 서 있기에 지쳐 버린 풍경

틈 사이를 걸어 나오다 무력해진 전망

그리하여 엎질러도 고이지 않던 맥 빠진 고백

꺾일 것을 알면서도 일어서는 마음

봄비

문 앞에 서서 들어올까 망설이지 말고
이제 다 오셨으니 한 발짝만 더 떼시라
땅이 아직 얼었다면 어진 하늘만 믿고
깨금발 폴짝 뛰어 한 걸음만 더 들여놓으시라
지난겨울은 유난히 길고 추웠으리라
길고 긴 여름이 바짝 뒤를 쫓으니 봄만 어서 들어오시라
하얀 눈썹에 발간 입술로 좋은 소식만 머금고 오시라

믿음

당신은 왜 항상
바지춤에 손을 넣고 자는 거야
우리 학교 다닐 때
주섬거리던 놈들마냥

배가 늘 차서 그런 거야
손이라도 넣고 있으면
좀 따뜻해질까 봐

가만히 아내의 바지춤에다
손을 넣는다
냉골이다
골반뼈 가까이
미리 와 있는 손을
맞잡아 본다
얼음장이다

냉골과 얼음장이 만나
몸을 덥히는 일

아무리 애써 봐도 소용없는 일을
우리는 평생을 혼자 애쓰며
이뤄질 거라 믿으며
남보기가 볼썽사납거나 말거나
한 이불 덮고 꼼지락거린다
꼼지락거리는 꿈들
들숨과 날숨들
몸을 덥히는 것은 믿음
그 믿음이
이불 아래를 덥히더라
그 어둡고 신비로운 말이

동백꽃

뿌리째 뽑혀 낯선 땅에 심긴 지 오 년이 되어 갑니다
뿌리가 가지보다 무성해질 때 돌아가겠습니다
무심히 바다 한가운데 내리꽂히던
빗줄기처럼 바라봐 주는 당신이 있어
저를 오늘도 굽어살피십니다
두 팔을 있는 힘껏 뻗어 보았지만 닿지 않네요
눈가의 그림자,
뿌리보다 깊어지시기 전에 돌아가겠습니다
외딴섬에 꺾여다 꽂힌 가지에
꽃망울이 올라올 날을 기다립니다 어머니

고향집

가파른 절벽 위로 내몰린 사연들이
칸칸이 담쌓고 밀봉된 울음들이
나무 창문 골 사이로 밀어닥치던 외풍들이
겨우 견디고 삼켜야 한 뼘 자라던 그늘들이
편지 몇 줄에 담기다 끝내지 못한 주소들이
배달되기 전에 뜯겨져 아무도 열어 보지 않았던
내 소식을 기다린다던
동무들이 어머니가 애인들이 우체국처럼

성묘

몸 기울지 말라
아랫눈썹까지 차오른
봉인된 슬픔이
자물쇠 틈 사이를 흘러들어
철커덕 십 년 유배된 기억을 열지니

몸 기울지 말라
그리움이 아랫눈썹 위로
차곡차곡
쌓이고 쌓여
눈동자 속으로 스며들거든
눈 한 번 껌뻑이며
불거진 광대뼈 뒤로 삼키고 말라

몸 기울면 쏟아지는
몸 기울여 받아 냈던
스미지도 마르지도 않는

흰자위 아래에 그대로 멈춰 선

뭉쳐지지도 나눠지지도 않는

작은 눈물의 봉우리

靜, 中, 動

대체 왜 흔들리는가
흔들리는 나무여
비 오고, 바람 불고, 땅이 내쉬는 날숨과 들숨 간에
위태로우나 그저 무위인 채로 서 있었을 뿐,
모양만은 사시사철 흔들렸구나
집 아닌 길에 뿌리를 박고 살도록 정해졌다면,
흔들리는 것이 내 살아 있음의 증거다
미동으로 흔들릴 뿐
걸음을 떼어 한 발짝도 움직일 수 없다
매일 보는 것으로,
물기 없는 속눈썹보다 더한 미동으로
매일 듣는 것으로,
늙어 거뭇해진 귀밑 솜털보다 더한 가벼움으로
시시각각 흔들리는 매 순간의 동물이나
단 한 걸음도 다가갈 수 없는 매 순간의 정물이다
그러니 내 밑동을 치고, 숨통을 끊고, 물기를 빼내어
정물로 만드는 것만이

내가 너를 향해 한 걸음 움직일 수 있는

동물로 만드는 길이다

죽이겠는가, 살리겠는가

노고단

조수석에 앉은 아내가
시를 읽는다
세상에 밥 다음으로
하기 싫은 일이
시 읽는 거라네
시 읽는 들숨 날숨 사이
흥도 없이 가락도 없이

저기… 아이들 재울 때 책 읽듯
콧소리도 넣고 꼬무락거리며
그리 좀 읽어 봐

그 시 생각나?
무슨 시요?

탑 – 이영도
너는 저만치 가고

나는 여기 섰는데
손 한번 흔들지 못하고
돌아선 하늘과 땅
애모는 사리로 맺혀
푸른 돌로 굳어라

부부가 시 한 소절 앞에
말없이 성삼재에 선다

Gap year[*]

거짓말 탐지기 같은 눈물을

그렁그렁 눈에 매달았습니다

오직 진실에만 파랗게 반응하는 붉은 리트머스

오직 거짓에만 빨갛게 반응하는 푸른 리트머스

내가 우는 것이 슬퍼서 당신은 말했답니다

파란 눈물 한 방울이 툭 떨어집니다

내가 우는 것이 아파서 당신은 말하지 않았답니다

빨간 눈물 한 방울이 툭 떨어집니다

슬프고 아프지만 진실을 말해 주세요

폭설주의보 거짓말 탐지기처럼

눈썹 처마에 매달렸던 눈물이

깊고 짙은 갈색 서까래 뒤로 숨어 버리게

---

[*] 미국 아이들이 이런저런 이유로 12학년에 대학 진학을 하지 않거나, 고등학교를 한 해 휴학하는 기간. 큰아이 친구 브라이언이 11학년 두 번째 학기부터 gap year를 갖기로 했다. 왜 그렇게 하기로 했다니? 물으니 아이가 조곤조곤 친구의 아픔을 전한다. 더 이상 학교에 나오지 않는 브라이언이 슬퍼서 눈이 퉁퉁 부은 내 딸아이의 이야기를 다 듣고, 이 시는 브라이언을 위해 썼다.

건배

지는 꽃잎 위로 피는 달빛에 베인
붉어진 마음으로

서운

둘로 나뉘는 건 가슴 아픈 일이 아니라
다정한 일일 거예요
아이들도 알아요
사과를 반쪽 나누는 건 다정한 일이라구요

검은 머리 외국인이 되어 가는 내 아이들에게

머지않아 모국어를 잠시 잊어버리고, 파도 속에서 헤맬 때 너희에게 등대가 되어 줄 한 단어가 뭔지 알아

Mama, Mẹ, ﻣﺎﻣﺎ, Maman, 妈妈, Mamma, ママ, Mamā, Мама, Mamá, แม่, Anne,

그리고 밤하늘 깊은 구름 속에서도 오래오래 이 단어들이 숨은 채 너희를 내려다보며 살았단 것도 잊지 말아 줘

بابا, 爸爸, Papa, Ayah, Papà, パパ, Tata, Papai, Папа, พ่อ, Baba, Тато, Bố

큰아이가, 식탁 위에서, 소파에 앉아서, 자기 방 랩톱 앞에서 한국어 단어를 하나씩, 일부러 다 쓰지 않은 연필 심처럼, 뚝뚝 부러뜨리거나 지우개로 빡빡 지워 나간다

어미젖 모어를 빨리 떼게 한 게 너무도 미안하다

시로 말하는 아빠

늘 돋보기를 쓴 우리 아빤 말이 없어요

거실 소파 맨 끝 구석 자리에 앉아

오늘도 쓱쓱쓱쓱 노란 연필로 시를 써요

시가 잘 써지는 날은

사탕을 문 저처럼 입꼬리가 올라가요

오늘은 잘 안되는 날인가 봐요

지우개로 쓱쓱쓱쓱 지우고

툭툭툭툭 노트를 털어 내요

자러 들어가기 전 아빠는 거실 테이블 위에

노트를 가지런히 덮어 두고 가요

가끔 아빠의 노트를 훔쳐봐요

아빠 시는 너무 어렵네요

그래서 아빠가 아픈지도 몰라요

아빠가 더 이상 시를 쓰지 않았으면 좋겠어요

그렇다면 아빠가

더 이상 말하는 법을 모르게 될까 봐

아픈 걸 참는 것보다

말하지 않는 게 더 어려운 일 같아요

시로 아프다고 예순다섯 번 말하고서

아빠가 나았으면 좋겠어요

마음의 거리, 몸의 거리

딱 달걀 세 개만큼의 마음의 거리로도 우리는 만 리 타향살이를 시작할 수 있습니다. 종이 한 장을 가운데 세우고 돌아선 마음 둘이 평생을 안 보고도 살아지는 것처럼 마음의 거리는 그처럼 좁고 밀하며 그 안에 우주를 품고도 남을 꽉 찬 두 개의 마음 사이의 거리이기 때문입니다.

몸의 거리는 그저 헛헛합니다. 비약이 없으며 가까우면 가까운 것이고 멀면 멀다밖에 말할 수 없는 오직 물질의 이치로만 말하여지는 거리입니다. 그러므로 과장할 수 없고 단위 밖의 세계를 벗어나지 못합니다. 4리이거나 1마일이거나 1.6킬로미터일 수밖에 없는 숨길 수 없는 거리입니다.

누군가 당신을 포위해 옵니다. 계란 세 개의 마음의 거리를 허용할 것인지 천리만리 몸의 거리를 둘 것인지 결정해야 할 때가 오거든 몸의 소리엔 귀 닫고 마음의 소리에 귀를 기울여야 할 겁니다. 대부분 몸은 심장의 박동 위에 서 있고 마음은 그 박동 안에 스며 있는 소리이기 때문입니다.

22 Canoe Bend Dr, The Woodlands, TX, 77389

숲 뒤로 안개가 나무의 말들을 들짐승처럼 옮기고 다닐 때 숲을 뛰쳐나온 물이 물을 딛고 일어서 숲의 단면을 긋고 간다.

무슨 뜬금없는 소린가 하시겠지요. 제가 사는 시골 마을은 이웃들이 작은 나무 담 하나를 사이에 두고 서로에게 비추는 불빛에 의지해 살고 있지요. 우리 집 뒤엔 인디언 힐이라는 작은 숲이 있어요. 어느 날 뒷마당으로 나가서 어떤 인가의 흔적도 없는, 인디언들이 모닥불을 피우며 살고 있을 것 같은 숲 깊숙한 곳까지 찾아 들어왔어요. 우리 집 뒷마당에 난 나지막한 울타리는 원주민들의 땅을 침입한 리걸 에일리언에게 허용된 마지막 울타리인 셈이죠.

새벽 다섯 시에 눈을 뜨면 가장 먼저 하는 일이 뒷마당에 나가 담 너머 인디언들과 담배를 나눠 피우는 일입니다. 오늘 새벽은 그 인디언들의 야영지를 범람하던 안

개가 뒷담을 넘어 뒷마당으로 넘쳐흐르고 있었어요. 숲 속에서 나무숲을 헤치고 기어 나온 들짐승 같았어요.

투둑투둑 검은 하늘에서 파란 빗방울이 떨어져 뒷마 당 물웅덩이 위에 몸을 세우더군요. 물이 물에 닿으면서 수많은 파문을 일으켜 세웠죠. 그 수십 개 동심원의 생성 과 소멸을 넋을 놓고 쳐다보는데, 저것이 흡사 물이 전하 는 숲의 단면 같다는 생각이 들었습니다.

동심원 하나하나는 나무들의 나이테인 셈이죠. 수많 은 나이테의 단면이 수면 위에 비껴가며 그려지는 모습 이, 인디언들이 일제히 봉기하여 잘 다듬어진 커다란 도 끼로 숲을 한 번에 내려친다면 아마도 이런 단면이 생길 것 같다는 생각이 들었어요. 이런 날은 출근이고 뭐고 그 냥 뒷마당에 털썩 주저앉아 담 하나를 사이에 두고 인디 언 힐의 원주민들과 친구가 되고 싶었단 말이에요.

숲 뒤로 안개가 나무의 말들을 들짐승처럼 옮기고 다 닐 때 숲을 튀쳐나온 숨이 숨을 딛고 일어서 숲의 단면을 긋고 간다.

빈집

처음 가지 물어다 이 나무 위에 올려놓았던 날엔 얼마나 바람이 많았던지. 다른 가지를 가지러 다녀오면 처음 물어다 놓은 가지는 사라지고 없더라고.

두 번째 가지, 세 번째 가지 가져올 때마다 전부 처음인 것처럼 위태로웠지. 그렇게 스무 개, 서른 개 물어 왔지만 하나도 제대로 얹히지 못하고 해가 저물곤 했지.

그러다 간신히 찾았던 거야. 달빛이 비춰 주는 숲속을 헤매다 지렁이 한 마리라도 물어 오면 찢어지게 벌린 너희 부리와 앙다문 내 부리가 눈 감고도 딱 맞은 것처럼.

너희와 내 생에 단 한 번 허락된 집, 비 한 방울 막아 주지 못하고 눈이 오면 설원의 사람들이 짓고 산다는 얼음집처럼 봉긋한 모양으로 하얀 눈에 덮이고 마는 작은 집이었지만, 너희 몸집이 불어나는 대로 칸막이를 치고 방을 만들어 따로 재울 수 있었단다. 짝지어 시집 보내고 나니 나만 혼자 덩그러니 남아 있단다. 이제 집이 너무 크구나.

이제 이 집을 허물 때가 되었나 봐. 저 분홍빛 나는 백일홍 꽃잎들이 이 둥지 위에 수북이 쌓이면 어미는 백일홍만큼 가벼워진 몸을 꽃침대에 누이고 고요하게 잠들 작정이야.

배롱나무 꽃잎이 바스락거리며 말라 갈 때 윤기 없이 시든 깃털만 남더라도 어미 잠든 빈집에 돌아오거든 바람에 떠내려가지 않도록 젖은 나뭇가지 몇 개 물어다 덮어 주렴.

한 달이 지나서야 발견했다. 빈집이 되어 버린 둥지 하나, 영도 비탈길 위에 위태롭게 서 있던, 엄마만 남은 내 고향집.

우르릉

자식들한테 아프다는 소리 차마 못 해
이 년을 감추며 살았다
울엄니께 아프단 말씀 차마 못 드려
이 년을 또 감추며 살았다

누구한테 먼저 말해야 하는 걸까
그 순서를 궁리하느라 이 년이 걸렸다
내 아이들이 더 많이 놀랄까
우리 엄니가 더 슬퍼하실까
덜 놀라게 하고 더 슬퍼하면 내 마음은 서운치 않을까
더 놀라게 하고 덜 슬퍼하면 미안한 맘 감춰질까

감추지 말아야 할 걸 감추며 살았다 지지난밤
내 평생에 겪어 보리라 상상조차 한 적 없는
죽음이 코앞에 당도했음을 알리는 듯한
날카로운 통증,
두부 한 모도 베지 못할 것 같은 무딘 칼끝으로

복부를 베어 내는 고통을 견디며
감추지 말아야 할 걸
너무 오래 감추며 살았단 사실을 후회했다

마약성 진통제를 처방받아 들고
앙다문 어금니로 통증을 삼키며
그 약의 효험에 마지막 남았을
남루한 고통을 쓸어내리며
우르릉 찾아든 한마디,
진통제에 취해 잠이 들었는데
꿈인가 했다 여든 노모와 두 딸아이가
이인삼각 발목을 당겨 묶고 나란히 달려오고 있다
우르릉 나를 향해 달려오고 있다
뒷걸음질 치다 잠을 깼다
잠은 깼으나 꿈은 깨지 못했다
노모와 두 딸아이가 나란히 손을
잡고 G2179 병실 문을 열고 들어서고 있더라

우르릉
노모를 부축한 두 손녀의 발등 위로

번개처럼 천둥처럼 쏟아져 내리는 슬픔에 놀라
억지 잠을 모로 세우며 통증을 삼킨다

크고 강한 바람이 산을 가르고 바위를 부수나 바람 가
운데에 … 계시지 아니하며 바람 후에 지진이 있으나 지
진 가운데에도 … 계시지 아니하며 또 지진 후에 불이 있
으나 불 가운데에도 … 계시지 아니하더니 불 후에 세미
한 소리가 있는지라 … 겉옷으로 얼굴을 가리고 나가 굴
어귀에 서매 소리가 그에게 임하여 이르시되 … 네가 어
찌하여 여기 있느냐 … *

자기 자신은 광야로 들어가 하룻길쯤 가서 한 로뎀 나
무 아래에 앉아서 자기가 죽기를 원하여 이르되 … 넉넉
하오니 지금 내 생명을 거두시옵소서 나는 내 조상들보
다 낫지 못하니이다 하고 로뎀 나무 아래에 누워 자더니
천사가 그를 어루만지며 그에게 이르되 일어나서 먹으
라 하는지라**

* 개역개정 성경 열왕기상 19:11-13
** 개역개정 성경 열왕기상 19:4-7

로뎀 나무 아래의 세미한 소리, 우르릉

아빠 힘내세요

아범아 이겨 내라

우르릉

전당포에서

오늘을 맡기고 내일을 받아 옵니다
전당포 주인은 돋보기 너머로
내가 맡긴 오늘의 먼지를 털어 냅니다
오래된 저울에 무게를 달아보기도 합니다
반대편 저울에 내일을 올렸다가 늘 몇 시간을 덜어 내
고 줍니다
"이 불공평한 거래를 언제까지 이어 갈까요? 영감님…
언제쯤 내 오늘에 몇 시간을 더 얹은 내일을 줄 겁
니까?"
"이봐 젊은이 내일을 맡기고 오늘을 받아 가는 날,
그 거래는 성사될 걸세"

하지만 사십 년 동안 오늘만 맡깁니다
오늘은 그동안 맡긴 오늘을 되찾으러 가는 날입니다
나는 백발이 되어 지팡이를 들었습니다
"이봐, 젊은이 그동안 내가 맡긴 오늘을 되찾으러 왔
다네"

창살 너머에 앉은 젊은 주인이 내 오늘을 저울에 올립니다

"영감님 반대편 저울에 올릴 내일이 없으세요"

"그럼 어쩌란 말인가?"

"내가 그동안 맡긴 그 많던 오늘치의 행복은 어디로 간 겐가?"

"모르셨군요. 그건 유효기간이 단 하루여서 저축이 되지 않아요"

사랑할 거라면 내일을 담보로 오늘을 찾으세요

호세 – 웃음이 하는 말

모든 질문에 웃음으로 답하는 호세

우리 아침밥 먹는데 같이 할래요, 물어도 웃고

시원한 커피 한잔 어때요, 물어도 웃고

나중에 점심때 라면 같이 먹을래요, 물어도 웃고

맥주 한잔 마시고 쉬었다 하지 그래요, 해도 웃는

토요일 아침 7시 30분에 우리 집에 온 호세는

아침밥, 커피, 라면, 맥주 한잔을 다하고 나서야 일을

마쳤다.

원래 고향이 어디예요, 물어도 웃는

내 친구 호세의 대답은 예스에도 웃고 노에도 웃는 일,

오늘 친구들은 다 뭐하고 혼자 왔어요, 물어도 웃고

땅 파다 배수관을 뚫어도 웃고

홈디포*에서 엉뚱한 파이프를 사 온 자기 실수에도

웃는

호세의 웃음 중에 딸내미 Hija 전화 받을 때의 웃음이

---

* 미국 전역에 있는 대형 DIY 철물상.

젤 쑥스럽다.

영어를 쓰지 않고 웃음만으로 대화가 가능한 저이들은 영어를 못하는 게 아니다.

다만 말하지 않을 뿐.

집에 돌아간 호세가 Hija와 마주 앉은 저녁상 앞에서 저 좋은 웃음을 웃을 수 있기를 빈다.

외톨이

The sad odyssey of a stone perched on a hill surrounded by colorful flowers and a grove of trees.

This is what happens to those who leave a life of solitary contemplation and choose to come to dwell in cities among people full of infinite evil.

"Leave your family and friends and go over the mountains and valleys into the country. While you are alone you are entirely your own master."

온통 숲과 나무와 들판의 꽃들에 둘러싸인 돌멩이 하나가 불평을 늘어놓습니다. 나도 내 친구 돌멩이들이 많은 곳에 가서 어울려 살고 싶어. 결국 돌멩이는 구르고 굴러 읍내까지 갔답니다. 그러나 행인들의 발에 채고, 말발굽이나 마차 바퀴에 깔렸다 빠져나오는 것이 겨우 일상이 되었죠. 그렇게 꿈꾸던 곳, 온몸을 굴려 찾아간 곳이래 봤자 진흙탕이거나 동물들 똥 덩어리 아래였지요.

사방천지를 둘러봐도 나 혼자라고 생각될 때, 어렵지 않게 쓰인 영어 글 몇 줄을 읽으며 마음에 위안으로 삼습니다.

좀처럼 마음을 터놓을 수 없는 옆집과 우리 집 사이의 나무담장 끝자락에 세워진, 겨우 내 키밖에 안 되는 철제 펜스를 넘어 올해도 아카시아 향기가 진동합니다. 우리 집 앞까지 화사하게 비추는 수백 송이 꽃들이 만발했습니다. 가끔은 도시의 번잡한 생활이 잠시 그립기도 합니다. 그러나 사방천지 돌아봐도 우리 가족밖에는 안 보이는 이곳 생활이 이제 겨우 불편하지 않은, 꽃 이름이나 궁금해하는 일곱 번째 봄이 가고 있습니다.

키모 포트

오른쪽 가슴에 여섯 시간 박혀 있던 주삿바늘을 빼면서 머뭇머뭇하길래 "왜요? 잘 안 빠져요?" 물으니 "환자분 이쁜 옷, 목 늘어날까 봐 조심하는 중이에요." 대학 갓 졸업한 아기 간호사 샘 말에 "하이고, 옷 그기 머라꼬…" 나오는 길에 공손히 배꼽 인사를 드렸다.

이 이쁜 말,
안아 주고 싶은 말,
눈 열고 귀 여니
키모 포트 속으로 졸졸졸 흘러드는
따시게 뎁힌 보약 같은.

가족

　달이 바다에 깊이를 더하듯이, 바람이 파도에 키를 더하듯이, 파도가 흩어진 모래알들을 한 줌씩 끌어안아 제 속살에 단단함을 더하듯이, 더 깊은 기울어짐으로 무심하게 각자 서로의 일을 도모하다 한자리에 모여 그간의 깊이와 높이와 단단함을 살펴봅니다. 비추는 달빛이기도 했다가, 위안을 건네는 바람이기도 했다가 흔들리는 깃발이기도 하였지요. 파도 앞에 쓰러질 것 같은 두 다리를 단단히 휘감아 쥐는 해변의 모래처럼 까끌거리는 동안에도 우리는 하나였습니다.

항해박명航海薄明

당신의 황혼黃昏은 언제입니까?

당신은 땅에 발을 딛고 섰습니까, 바다인가요, 하늘 위로 물구나무를 선 사람입니까?

시민박명市民薄明은 땅에 발을 딛고 사는 사람들, 항해박명航海薄明은 바다 위에 발을 디딘 뱃사람들, 천문박명天文薄明은 하늘에 발을 딛고 천체를 관찰하는 사람들에게 각각 중요한 시간입니다.

시민이며, 항해며, 천문박명, 이 생소한 말뜻이 궁금한가요. 잠시만 귀 기울여 보세요.

시민박명(6도)은 시민들이 아직 햇빛에 의지해 신문의 활자를 읽을 수 있는 시간, 어떤 나라들에선 법률에 따라 가로등과 자동차 헤드라이트를 켜기를 권장하는 시간입니다.

항해박명(12도)은 더 이상 수평선을 육안으로 구별하기 어려워지는 시간, 그제야 별이 보이고, 별의 위치에 따라 항로를 찾을 수 있기 시작하는 시간입니다.

천문박명(18도)은 완연한 어둠이 내린 시간, 당신이 사는 곳의 하늘이 맑다면, 당신이 사는 도시가 충분히 어둡다면 은하수를 볼 수 있는 시간, 달빛이 방해하지 않는다면 가장 희미한 별과 행성까지 관찰할 수 있는 온전한 어둠이 시작되는 시간이기도 합니다.

괄호 안의 숫자들은 해가 수평선 아래로 기운 각도를 말합니다. 신기하게도 모두 6의 배수들입니다.

대부분 땅에 발을 딛고 사는 우리에게 황혼은 시민박명까지의 시간을 뜻할 겁니다.

하지만, 해가 더 이상 쓸모없어진 바닷사람들에겐 항해박명이 와야 바닷길을 보여 주는 별자리가 완성됩니다.

먼 하늘 위에 물구나무선 사람들. 은하수를 기다리고, 점멸하는 별빛이 희미함을 벗어던지고 온전한 광채를 비추기 시작하는 시간, 그들의 황혼은 천문박명입니다.

해가 졌으나 지지 않은 시간보다, 해가 졌으되 완전히 져서 땅에서도 바다에서도 하늘 어디에서도 그 가능성이 완전히 사라지는 시간까지를 나는 황혼이라 부르고 싶습니다. 인생은 해처럼 떠서 달처럼 저뭅니다. 어둠 속에서만 빛나는 별처럼 말입니다. 나의 황혼은 항해박명이었으면 합니다.

지난밤 오래오래 하늘에 머물며 당신의 항해를 지켜보았습니다. 태양이 수평선 위로 떠오르면 아쉬움을 뒤로한 채 있어도 보이지 않는 별이 되어 당신의 낮 뒤에 숨어 기다리는 시간―항해박명이 다시 시작되려 합니다. 나는 보이지 않았을 뿐입니다.

파도는 물과 공기가 만나는 경계인 자유표면 그 위에만 존재하는 자연현상입니다. 저는 대학에서 파도의 영역을 관장하는 지배방정식이던 2차 편미분방정식 라플라스 이퀘이션Laplace's Equation에 관해 배웠습니다. 물리 현상을 실험하고, 그 해법을 도식화하고, 컴퓨터 언어로 수치화하는 여러 번의 시행착오 끝에 가까스로 졸업을 할 수 있었습니다. 배움을 위한 배움이 지난하고 불안했던 젊은 시절이었습니다.

사회에 나가 달그랑거리는 동전 몇 개의 무게까지도 내 노동의 무게로 치환되었던 첫 월급봉투를 받아들며 이유 없이 길어졌던 그 배움의 시간들을 도무지 스스로 설명할 수가 없었습니다. 나는 왜 파도를 배웠을까요?

그 유용한 포텐셜 이론과, 파동의 원리들, 점성을 가지는 유체와 그렇지 않은 유체의 차이, 회전하는 물과 정지해 있는 물의 간극, 그런 가르침들이 내가 먹고사는 일에 무슨 도움이 되는지 알 수 없었습니다. 결국 그것들은 사회라는 바다로 뛰어들 수 있도록 발돋움하기 위한 구름판일 뿐이었음을 깨닫게 됩니다.

호우경보가 내렸던 날 어느 아침, 선박 건조 현장에서 용접기의 전원을 차단하고, 쓰다 남은 용접봉 릴을 회수하며, 비에 젖어도 되는 것들과 안 되는 것들을 선별하고 주말 야간 철야작업이 무산된 날씨를 탓하거나 대비책을 세우는 것이 저에게 주어진 사회에서의 첫 임무였습니다. 선체 블록이 탑재되고 남은 잔해와 쓰레기들을 빗자루로 쓸어 담으며, 이곳은 라플라스 이퀘이션의 지배를 받지 않는 시공간임을 절망하며 인내했습니다.

미국 회사에 들어가 머리로는 새로운 언어를 배우고, 몸으로는 새로 건조되는 선박의 구석구석을 맥라이트 플래시 등 하나에 기대 포복하며 기어다니고, 선박의 도면을 승인하고, 스탬프를 찍고, 인증서를 발행하고, 여러 인종의 사람들과 토론하며, 다정한 인도인들과 제품을 개발하며 테스트하고 출시하는 최근 20년 동안의 경력 어디에도 역시 파도가 설 자리는 없었습니다.

그렇게 20여 년의 시간을 이론과 법칙이 무용한 세상에서 보내다 문득 깨달아지는 것이 있었습니다. 파도라는 자연현상은 비단 학문으로만 탐구되어야 할 대상이 아니라는 사실입니다. 파도는 생명이었고 그리움이었고 말이었으며 노래요 슬픔이요, 그 어떤 수식으로 가두어질 수 없는 실체임을 깨달았습니다. 그 후로 오랫동안 저는 파도를 유념하며 살았습니다. 파도는 삶의 지혜였고, 회한이었고 애인이었고 가족이었고 부모였습니다.

자랑할 일은 아니지만 또한 숨길 일도 아니다 싶어 밝혀 둡니다. 암투병 중에 있습니다. 글쓰기는 그 전과 후달라지고 있습니다. 불가능하고 끔찍해 보이는 고백을 가능하게 했습니다. 고백은 치유할 수 없는 것들을 가끔 치료합니다. 불을 가지고 노는 고통을 통해 소멸시키고 여위게 하고, 한줄 한줄 지워 나가는, 허물어지지 않는 것들을 세움으로 허물어 보려고 합니다.

이 기록을 두 딸 채綵와 려麗 아내 현泫에게 바칩니다. 보여 준 적 없는 나를 웃게 하던 것들, 들려준 적 없는 내 슬픔의 단초들, 차마 나의 동굴로 초대하거나 이 동굴로

오는 길을 알려 줄 수 없었습니다. 쫓아오는 인기척이 느껴질 때마다 번번이 그들의 등을 따돌리는 일은 어렵지 않았습니다. 함께였던 그 모든 순간 동안은 쓸 수 없었던 이 가면을, 이 동굴을 혼자 들어오고 나가며 셀 수 없이 쓰고 벗어야 했습니다. 그 가면을 벗는 데 걸린 시간을 내 옆에서 함께 견뎌 준 당신들이 고맙습니다. 동굴 안에서 흔들리던 촛불에 의지해 한 자씩 써 내려갔던 나의 신화를 이제 가면을 쓰지 않고도 들려주어야 할 때가 된 것 같습니다.

풍월당風月堂에서 풍찬노숙風餐露宿하던 시들을 머리부터 발끝까지 덮어 줄 아름답고 푸른 이불 한 채를 지어 주시겠다는 말씀을 주셨습니다. 내가 자라던 시절엔 이불 한 채가 집 한 채 혹은 방 한 칸의 쓸모가 되어 주었습니다. 뚫릴 듯한 지붕으로부터 하늘을 가려 주었고, 허물어질 것 같은 벽에서 겨울밤 우풍을 막아 주었습니다. 정확하고 촘촘하고 숨 가쁘려 애쓰는 나의 말들이 스스로 허물어지기를 기다리며 또 새로운 집을 짓고 있다는 변명을 늘어놓습니다. 집 한 채에 버금가는 이불 한 채로 내 시들을 품어 주신 풍월당에 감사드립니다.

파도에 관한 글쓰기를 시작했고, 한 줌도 안 되는 글들을 여기저기 흩어 놓았다가 책으로 묶어 보았습니다. 이 책은 파도에 관한, 파도와 무관한 것들입니다. 결코 멈춰 설 수 없었던 파도, 그 파도에 관한 이야기를 해보려 합니다. 묻힐 자리를 찾아서 끝까지 밀어붙이던 파도 위에 서서 파도라는 거짓말에 속고 또 속이는 사람이 되어 보고 싶습니다.

내가 본 문원민이란 사람
"그의 삶이 바다고 그의 노래는 파도다."

그를 알게 된 것은 얼마 되지 않았습니다. 그를 알고 오래지 않아 그가 시를 쓴다는 사실을 알았습니다. 그의 시 쓰기는 그 이유나 결과를 수긍할 수 있는 작업이었습니다. 시인이라는 것이 과거처럼 권위자의 추천이나 신춘문예를 통해서만 등장하는 세상은 아닙니다. 시를 전공하지 않았어도 심지어 학교 근처에조차 가지 않았어도, 시인 이상으로 예술가적인 삶을 치열하게 살며 고뇌하고 밤새워 글을 쓰는 사람들이 있습니다. 머리에 시인이나 문학가라는 화려한 관을 쓴 사람 이상으로 진실한 그들은 누구보다 세상을 아름답게 바라보고, 이웃에게 애정의 눈길을 보내며, 가슴을 쥐고서 간절하게 노래합니다.

그는 성실한 생활인이었으며 지금도 여전히 그러합니다. 그는 공학을 전공한 기술자이며, 집에는 두 딸과 아내 그리고 어머니가 있는 남자입니다. 섬에서 태어나서 항구에서 자란 그는 바다와 배를 배웠습니다. 인간이 이룬 눈부신 문명은 배를 타고 바다를 헤치며 나아갔었기에 이룬 것입니다. 그런 인간의 항해를 방해하는 것이 파도라는 존재입니다. 파도를 연구한 기술자는 바다에서 배가 아니라 치열한 인간의 삶을 보았습니다.

저 역시 항구에서 태어나 바다를 보면서 자랐습니다. 제 주변에는 배를 탔던 분들이 적지 않고 지금도 바다 위에 떠 있는 인척이 있습니다. 사람이란 땅 위에 두 발을 붙이고 산다고 생각하지만, 그렇지 않습니다. 어떤 사람은 계속해서 움직이는 바다에서 위태하게 살고 있습니다. 땅에 사는 사람들은 아무리 고생을 한다 해도 자신의 생업에 목숨을 걸지는 않습니다. 하지만 어부나 선원같이 바다에서 일하는 사람들은 일상의 순간순간에 목숨을 겁니다.

그는 직접 배를 타지는 않지만, 평생 항구에서 살면서 바다를 가까이했습니다. 그리고 그는 지금 목숨이 경각에 달린 투병자입니다. 자신의 생을 헤아리는 모래시계가 눈앞에서 급속히 줄어 가는 것을 매순간 보며 이 시들을 썼습니다. 그의 시는 죽을 수도 있는 거센 파도 위에서 쓴 것이나 다름없습니다. 그래서 그의 시는 누구보다도 진실하고 섬세하고 절박합니다. 그래서 아름답고 또 안타깝습니다. 한 마디 한 구절이 세상과 사랑하는 사람들과 이별하려는 이별할 수 없는 이의 숨 한 숨 한 숨처럼 들립니다.

그의 머리에 진정한 시인의 빛나는 월계관을 씌워 주고 싶습니다. 이 시집은 나와 우리 모두를, 우리 주변과 내가 사랑했던 사람들을 다시금 따뜻한 시선으로 돌아보게 합니다. 지금은 그의 시가 계속 노래되기를 그래서 제가 그것을 계속 들을 수 있기를 바랄 뿐입니다. 그가 삶의 면류관을 쓸 때까지 말입니다.

2024년 봄비가 내리는 날.

박종호

그가 내준 시의 영지
―문원민 시집『파도라는 거짓말』

1

시보다 그가 먼저였다. 문원민을 말함이다. 그의 시를 만나기 오래전에 그를 먼저 알았고 만났다는 뜻이다. 인연의 순서에서 처음의 그는 부산에 살며 미국 회사에 다니고 있던 직장인이었다. 결혼하여 가족을 이루고 있었고 아내와의 사이에 두 딸이 있었다. 직장인으로서 그가 이어 간 이력은 미국으로 옮겨졌다. 그는 태어나고 자란 고국을 떠나 한동안 미국에서 살았다. 미국 생활에는 그의 가족이 함께했다. 그의 소식은 페이스북에 올리는 글을 통해 들었다. 그 소식을 통해 그가 미국 생활에서 병을 얻었다는 것을 알게 되었다. 귀국했다고 들었으나 만나진 못했다. 투병 중에 있는 그를 여전히 페이스북에서 간간이 만나곤 했다.

그리고 그의 시가 왔다.『파도라는 거짓말』이란 시집 속에 모아져 있었다. 그리하여 시를 읽는 동안 나는 그를 만나게 되었다. 시인 문원민을 말함이다. 내가 시인이란 호칭을 그의 이름 앞에 붙여 다른 만남으로 삼는 것은 그가 단순히 시를 쓰고 그것을 모아 시집으로 묶었기 때문이 아니다. 시인이란 호칭은 시를 썼다는 것만으로 쉽게 손에 쥐어지는 호칭이 아닐 때가 많다. 때로 시를 써도 시인이란 호칭은 그 호칭을 내주는 데 완강하다. 내가 그의 이름 앞에 시인이라 호칭을 붙여 그와의 만남을 다른 만남으로 삼았다는 것은 시를 읽는 동안 그의 시가 아무 주저 없이 시인이란 호칭을 그의 이름 앞에 덧붙이게 만들었다는 뜻이다. 그렇게 그가 시로 와서 내게 시인이 되었다.

사실 그의 시집 속에는 나보다 먼저 시인으로서의 그를 알아본 눈이 있다. 그 눈을 가진 사람은 그의 딸이었다.

늘 돋보기를 쓴 우리 아빠 말이 없어요
거실 소파 맨 끝 구석 자리에 앉아
오늘도 쓱쓱쓱쓱 노란 연필로 시를 써요
시가 잘 써지는 날은
사탕을 문 저처럼 입꼬리가 올라가요
오늘은 잘 안되는 날인가 봐요
지우개로 쓱쓱쓱쓱 지우고

툭툭툭툭 노트를 털어 내요

—「시로 말하는 아빠」 부분

아빠의 시를 바라보는 딸의 시선은 처음엔 걱정이 된
다. 딸에게는 아빠의 시가 "너무 어렵"다. 어려운 것은 힘
든 법이다. 딸은 이렇게 힘든 것을 쓰고 있으니 "아빠가
아픈지도 몰라요"라고 혹시 아빠의 병을 가져온 것이 시
는 아닌지 걱정한다. 그 걱정은 "아빠가 더 이상 시를 쓰
지 않았으면 좋겠"다는 바람으로 이어지고 있다.

하지만 한편으로 시는 아빠의 말이다. 시를 쓰지 않으
면 아빠는 말을 잃는다. 딸은 다시 그것이 걱정이다. 아
빠의 병이 낫기를 바라면서 시를 쓰지 않았으면 좋겠다
던 딸의 바람은 "그렇다면 아빠가 / 더 이상 말하는 법을
모르게" 되지 않을까 하는 걱정으로 이어지고 그 걱정은
"아픈 걸 참는 것보다 / 말하지 않는 게 더 어려운 일"이
될 것 같다는 생각에 이른다. 그 생각 끝에서 딸은 "시로
아프다고 예순다섯 번 말하고서 / 아빠가 나았으면 좋겠"
다는 것으로 자신의 바람을 바꾼다. 나는 예순다섯 번이
무엇인가가 이루어진 어떤 경험으로부터 나온 횟수일
것으로 짐작하고 있다. 아이들에게선 예순다섯 번으로

무엇인가를 이루고 나면 그때부터 예순다섯 번이 세상의 모든 일을 이룰 수 있는 최대의 횟수가 된다. 아이의 경험 속에서 아빠의 병은 그 치유가 막연하지 않고 구체적이 된다. 딸의 목소리를 옮겨온 시를 읽으며 잠시 나도 그 수치의 끝에 시인이 자신이 쓴 시를 치유의 힘으로 삼아 병을 이겨 낸 그의 날을 겹쳐 보았다. 딸의 시를 가장 앞자리에 걸어 놓으면서 그 시에 담긴 딸의 마음 뒤에 내 마음을 줄 세운 이유이기도 하다.

2

이제 시인 문원민의 시를 살펴보기로 한다. 나는 그의 시집을 전체적으로 읽어 보며 그가 시의 영지를 엄격하게 제한했다는 인상을 받았다. 그가 오래도록 직장을 다녔고 미국에서 생활한 기간도 오랜 것으로 알고 있었으나 시 속에선 직장이나 미국 생활과 관련된 내용의 시를 찾아보기가 어려웠기 때문이다. 아마도 할애한 시간을 생각하면 직장과 미국에서의 생활은 그의 삶에서 가장 많은 비중을 차지할 것으로 짐작된다. 하지만 시에선 양상이 달랐다. 그가 쓴 시에선 내용이 이 부분과 연관된 것으로 보이는 시가 거의 없었다. 때문에 나는 그가 가족을 부양하기 위해 다닌 직장을 시의 영지에서 제외한 것이 아닌가 하는 생각을 하게 되었다. 나는 이러한 나의 인상을 기반으로 그가 구획한 시의 영지를 그의 시세계에 대한 주요 이정표로 삼아 그의 시세계를 살펴보기로 한다.

미국을 내가 살펴볼 첫 시의 영지로 삼아 본다. 많지 않다. 그중에서 이주자들이 벽난로를 마주하고 모인 한순간을 담고 있는 것으로 짐작되는 시가 보인다. 문원민은 이렇게 적어 놓고 있다.

엄동설한 이국의 하늘 아래
모여 앉은 무국적의 이방인들,
빠져나갈 통로
보이지 않는 동굴처럼 검다

—「벽난로」 부분

이방인이라고 해도 국적이 없을 리야 있겠는가. 영주권이나 시민권을 받기 이전까지의 불안이 무국적이란 말을 불러왔을 것이다. 그들의 삶을 시인은 "빠져나갈 통로"가 "보이지 않는 동굴" 같다고 말한다. 아직 미국에서 그들이 거처할 한 줌의 땅조차 얻지 못하고 있는 사람들의 현실이다.

　나는 시 속에서 내가 만난 "무국적의 이방인들"이 감내해야 했던 삶이 시인의 삶이었다고 생각지 않는다. 미국 회사에서 일자리를 가졌던 그의 삶은 훨씬 안정적이었을 것으로 짐작된다. 그런데도 왜 그는 그들의 삶을 시에 담아 시의 영지 속에 그들의 공간으로 내주었던 것일까. 그 이유를 나는 시인이 그들의 불안으로 미국 사회를 말한 것이 아니라 그들이 잠시 쉴 수 있는 공간을 시의 이름으로 내주었다고 생각했다. 실질적으로 그들에게 기거할 공간을 내주는 것은 그의 권한 밖이었으나 시의 세상에선 얼마든지 그것이 가능했고 그는 그렇게 했다.

　또 하나 미국에서 발견되는 시의 영지는 그가 살았던 곳으로 짐작되는 집이다. 그렇다고 그 집이 가족과 함께 꾸린 미국에서의 생활을 담고 있는 것은 아니다. 그가 가족과 함께 살았던 곳으로 짐작되는 주소를 제목으로 삼고 있는 한 편의 시는 그곳에서의 삶이 아니라 그곳과 경계를 맞댄 "인디언 힐이라는 작은 숲"이 남긴 어느 날의 강렬한 인상을 말하고 있다. 시는 다음과 같이 시작된다.

　숲 뒤로 안개가 나무의 말들을 들짐승처럼 옮기고 다닐

때 숲을 뛰쳐나온 물이 물을 딛고 일어서 숲의 단면을 긋
고 간다.

—「22 Canoe Bend Dr, The Woodlands, TX, 77389」 부분

이 시는 매우 독특한 형식을 취하고 있다. 첫 연에 이
어지는 다음 연들이 첫 연의 구절을 설명하는 방식으로
되어 있기 때문이다. 그리하여 우리는 나머지 연들을 읽
으며 첫 연을 다시 들여다보게 된다. 그렇게 나머지 연들
의 설명에 기대면 시인이 살았던 집의 뒤로 "인디언 힐
이라는 작은 숲"이 있고 "우리 집 뒷마당에 난 나지막한
울타리는 원주민들의 땅을 침입한 리걸 에일리언에게
허용된 마지막 울타리 인 셈"이라는 시인의 설명을 듣게
된다. 그리고 어느 날 인디언들이 그곳을 찾아 들어와 야
영지로 삼고 지내게 되면서 시인은 "새벽 다섯 시에 눈
을 뜨면" "뒷마당에 나가 담 너머 인디언들과 담배를 나
눠 피우는" 사이가 된다. 시의 첫 연은 시에서 '오늘'이라
명기된 어느 "새벽 그 인디언들의 야영지를 범람하던 안
개가 뒷담을 넘어 뒷마당으로 넘쳐흐르고" 비가 물웅덩
이로 쏟아지던 풍경을 옮긴 것이다. 시인은 "인디언들이
일제히 봉기하여 잘 다듬어진 커다란 도끼로 숲을 한 번

에 내려친다면 아마도 이런 단면이 생길 것 같다는 생각이 들었"다고 그날의 새벽을 말한다. 미국에서 살았던 주소에 그는 그곳에서 누렸던 삶을 담은 것이 아니라 제 땅에서 유배된 인디언의 봉기를 안개와 비의 이름으로 채워 그들에게 돌려주고 있다.

시인 자신에게 미국에서의 생활이 어떤 것이었는지를 보여 주는 시가 있다. 시 속에서 시인의 생활은 해가 지나도 원활치가 않다. 시 속의 수치로 짐작하면 다섯 해째에 남긴 것으로 여겨지는 시는 이렇게 시작된다.

> 뿌리째 뽑혀 낯선 땅에 심긴 지 오 년이 되어 갑니다
> 뿌리가 가지보다 무성해질 때 돌아가겠습니다
>
> —「동백꽃」 부분

그는 이주자로서 자신이 살아가야 했던 삶을 뿌리 뽑힌 삶이라 말하고 있다. 그리고 미국에 정착할 결심도 보이지 않는다. 뿌리가 가지보다 무성해질 때 돌아가겠다고 말하고 있기 때문이다. 가지는 아마도 아이들이 펼칠 삶일 것이다. 그의 미국 생활은 무성한 뿌리로 그 가지를 받쳐 주기 위한 선택이다. 미국으로의 이주는 시인에겐

미국이란 땅이 열어 줄 기회를 잡기 위한 선택이 아니라 다른 시대를 살아갈 아이들을 위한 선택이 된다.

이주 7년이 되어도 시인은 여전히 미국에 적응하지 못하고 있다. 짧지 않은 세월이 흘렀음에도 불구하고 미국은 여전히 "사방천지를 둘러봐도 나 혼자라고 생각"되는 곳이다.

> 좀처럼 마음을 터놓을 수 없는 옆집과 우리 집 사이의 나무담장 끝자락에 세워진, 겨우 내 키밖에 안 되는 철제 펜스를 넘어 올해도 아카시아 향기가 진동합니다. 우리 집 앞까지 화사하게 비추는 수백 송이 꽃들이 만발했습니다. 가끔은 도시의 번잡한 생활이 잠시 그립기도 합니다. 그러나 사방천지 돌아봐도 우리 가족밖에는 안 보이는 이곳 생활이 이제 겨우 불편하지 않은, 꽃 이름이나 궁금해하는 일곱 번째 봄이 가고 있습니다.
>
> —「외톨이」 부분

문원민은 미국에서의 삶을 외롭다 말하고 있다. 외로운 삶은 힘겹다. 힘겨운 삶에는 위로가 필요하다. 그런데 의외의 것이 그에게 힘이 된다. 바로 고국에 두고 온 고향이다. 의외라는 것은 고향이 쉽게 갈 수 없는 거리로 멀어졌기 때문이다. 너무 멀리 있는 것은 힘이 되기 어렵다. 멀리 있다고는 하지만 사실 고향은 단순히 거리의 수치로만 비교하면 달보다 가까이 있다. 그 사실을 고향 생각에 담아 시인은 이렇게 말한다.

> 24만 마일 멀다는 달은
> 저리 살뜰하게 저녁마다 얼굴을 보이는데,
> 고작 7천 마일 내 고향은
> 아득해서 꿈에서조차 보이지 않네
>
> —「고향 생각」 전문

실제의 거리로 보면 아득한 것은 달이다. 하지만 고향은 거리상으로는 훨씬 가까워도 보이질 않는다. 그리고 쉽게 갈 수가 없다. 쉽게 갈 수 있으면 먼 거리도 거리가 삭제된다. 볼 수 있으면 그때의 거리 또한 삭제된다. 시인이 거리 단위로 우리에게 낯선 마일을 쓰면서 단위의 낯섦이 보태어져 거리는 더 멀게 느껴진다. 그러나 생각만으로도 고향은 먼 미국땅에 시의 영지를 확보한다. 고향이 그의 힘이 되는 순간이기도 하다. 시는 "꿈에서조차 보이지 않네"라고 하고 있지만 그 말에 담긴 시인의 속마음은 꿈에서라도 보고 싶다이다. 그 마음이 먼 이국 땅에 고향이 자리할 시의 영지를 마련하고 고향은 바다를 건너 미국땅으로 옮겨진다.

미국땅으로 옮겨지는 고향이 생각에 그치지 않고 매우 구체적일 때도 있다. "낚시 다녀온 이웃 김씨가 건넨 생선 세 마리"를 "머리 떼고 배 갈라 뒷마당에 널"어놓은 뒤 그 생선이 "볕 좋고 바람 좋아 꾸들꾸들 말라 가"던 날에 그런 일이 벌어진다. 생선 비린내가 고향을 뒷마당으로 부른 것이다.

바닷가 비탈마을 골목에는
집집마다 비린내가 진동했었지
대문 옆 개수대 바닥엔
눌어붙은 비늘이 반짝반짝 빛났었지

이역만리 뒷마당이 비린내로 진동한다
눈 감고 볕 쬐고 앉아
종일 나도 진동한다

—「고향 냄새」 부분

시인은 냄새만으로 고향을 머나먼 이국으로 부를 수 있다. "이역만리 뒷마당"이란 말이 그가 있는 곳이 먼 미국땅임을 알려준다. 고향은 냄새로 그를 찾아와 종일 그를 진동시킨다. 그를 뒤흔든 그 진동이 그에게는 큰 힘이 되었을 것이다.

고향과 함께 어머니도 고국에 남았다. 어머니는 곁에 있기만 해도 우리의 힘이 되는 존재이다. 그 존재가 지금 곁에 없다. 그렇다고 어머니가 직접 미국으로 건너가는 것도 쉽지가 않다. 세대에 따라 외국을 간다는 것이 쉽지 않은 일일 때가 있는 법이다. 하지만 어머니는 "바다 건너 인편으로 도달한" 편지로 아들을 찾아갈 길을 찾아낸다. 하지만 그 편지는 "사랑하는 며느라"로 시작하는 "시어머니 편지"였다. 편지는 또한 "일등 말고 세상에 필요한 사람"이 되라는 말을 아이들에게 전하는 "할머니 편지"이기도 했다. 시인 자신에게 전하는 말은 편지의 어디에도 없다. "설마 하며 / 아무리 입김 불어 봐도 빈 봉투"뿐이다. 그런데도 시인은 빈 봉투에서 어머니의 목소리를 듣는다.

만지작 만지작

만지지 못한

빈 봉투 입을 열고 울먹한 귀 기울이니

그제야 들려오는 어머니의 방백,

—「'아범아, 보고 싶구나'」 부분

나는 어머니 편지에 담기지 않은 말을 시인이 들었다고 생각지 않는다. 어머니가 편지에 글로 담지 않고 봉투에 소리로 담겨 바다를 건넜다고 생각한다. 시인이 마련한 시의 영지는 어머니가 먼 이국땅을 어머니의 목소리로 훌쩍 건널 수 있게 한다. 그리고 그 어머니의 마음이 시인을 이국에서 견디게 한다.

어머니는 "뒷마당에 날아든 들꽃 한 송이"가 씨를 뿌려 "뒷마당에 무더기로" 필 때 다시 그 마당으로 오신다. 그 꽃을 일러 시인은 이렇게 말하고 있다.

일흔 노모 지어 보낸 목화솜 이불인 양

시린 발끝 서로 비벼

하얗게 하얗게

서리서리 피었네

—「환대」 부분

어머니는 멀리 고국에 계시지만 마당에 흰꽃이 필 때 "목화솜 이불"을 지어 바다를 건넌다. 그 아들이 시인일 때 시인은 시의 영지를 자신이 사는 곳에 펼쳐 어머니의 길로 삼고 그러면 아들이 사는 곳에 어머니의 발길이 가지 못하는 곳은 없어진다.

미국에서 그는 혼자가 아니었다. 그의 곁에는 아내가 있었다. 그는 아내라는 말 대신 아내와 같이 한 세월로 아내를 지칭한다. 그 세월은 20년이다. 오랜 세월이다. 그 20년의 세월이 만들어 낸 둘의 사이를 우리는 다음과 같은 구절로 만난다.

> 자려고 누웠다가 슬그머니 발을 포개는 것,
> 화들짝 놀란 더운 발이 찬 발을 밀쳐 내다
> 못 이기는 척 작은 두 발로
> 큰 한 발을 시큰둥 감싸 주는 것
>
> ─「이십 년」부분

몸처럼 분명한 것은 없다. 몸이 뜨겁고 그 뜨거운 몸을 섞어 하나가 될 때 우리가 영원도 약속할 수 있을 만큼 사랑을 확신할 수 있는 것은 그 때문이다. 우리는 그 뜨겁고 분명한 몸의 관계로 부부의 삶을 시작하나 그 관계는 식어 가고 대부분의 경우 둘 사이에서 몸은 삭제되고 만다. 그러나 시인은 발로 발을 감싸는 것으로 몸의 관계를 놓지 않고 있다. 그것은 둘의 관계를 분명하게 담보하는 몸의 마지노선 같은 것이다. 시인은 그 관계를 지키고 있으며 둘 사이를 지탱하는 힘을 사랑 대신 믿음이란 말로 대치하고 있다.

　아무리 애써 봐도 소용없는 일을
　우리는 평생을 혼자 애쓰며
　이뤄질 거라 믿으며
　남보기가 볼썽사납거나 말거나
　한 이불 덮고 꼼지락거린다

—「믿음」부분

　부부 사이의 사랑이란 뜨거움이라기보다 서로의 체온을 나눌 수 있는 몸의 마지노선을 놓지 않고 함께 살아가는 것이다. 시인은 그 관계의 바탕을 믿음이라 칭한다. 그것은 둘 사이를 견고하게 묶어 주는 힘이기도 하지만 동시에 힘든 미국 생활을 견디게 해주는 힘이기도 하다. 그 힘은 가족이라는 이름으로 확대된다.

> 파도 앞에 쓰러질 것 같은 두 다리를 단단히 휘감아 쥐는
> 해변의 모래처럼 까끌거리는 동안에도 우리는 하나였습
> 니다.
>
> ─「가족」 부분

가족이라고 갈등이 없을 수 없다. 갈등은 이질감으로
이어지기 쉽다. 시인이 말한 까끌거림은 아마도 갈등이
불러오는 그런 이질감이 될 것이다. 이질감은 힘이 될 수
없다. 이질감이 클 때 가족은 모두 각각이 된다. 그러나
그런 이질감에도 불구하고 가족은 하나라는 느낌으로 가
족의 성원을 묶어 준다. 하나는 이질감이 아니라 동질감
에서 온다. 가족은 그런 측면에서 갈등의 이질감을 동질
감으로 무마하는 신비로운 공동체이다. 바로 그런 가족
이 시인에게 있었으며, 그 가족은 이국의 삶을 견디게 하
는 큰 힘이 된다.

고국과 어머니, 그리고 가족이 문원민에게 미국 생활
을 견디게 해준 큰 힘이 되었지만 사실 그에겐 힘겨울 때
마다 삶을 근본적으로 붙잡아 준 힘들이 있다. 우리는 시

집을 펼치면서 곧바로 그 힘들을 만날 수 있다. 그 힘들의 소재지는 모두 이 땅이다. 첫 번째 힘은 해녀가 보여준다.

너의 부피를 떠받드는 일
아직 물 밖으로 나오지 못한 너의
팔과 어깨를, 네가 참아 낸 숨만큼의
청각과 우뭇가사리와 소라고둥이
물 속에서 차지하던 부력을 떠받드는 일
　　　　　　　　　　　　　　—「물 마중-숨비소리」부분

　시는 그 힘이 부력이라고 한다. 부력이라고 했지만 그가 부력으로 읽어 낸 것은 사실은 숨비소리이다. 숨비소리는 해녀들이 해산물을 채취할 때 바닷속에서 참았던 숨을 물 밖으로 나오면서 내뿜는 소리이다. 나는 뉴턴이 사과가 떨어지는 것을 보고 아래로 끌어당기는 힘을 생각했다는 얘기를 들었다. 떨어진다는 현상 앞에서 그의 눈은 아래로 끌어당기는 힘을 본 것이다. 우리가 중력이라고 알고 있는 힘이다. 해녀의 숨비소리도 문원민에게선 소리를 넘어 어떤 힘의 작용으로 전환된다. 그때 그 힘은 물체를 띄워 주는 힘, 바로 부력이다. 중력과는 반대의 힘이다. 우리가 숨비소리를 '휘파람 소리'로 들을 때 시인은 소리라는 현상에서 물 위로 떠오르는 부력을 본다.

부력을 만들어 내는 것은 해녀의 노동이다. 시인이 "물 속에서 견뎌 낸 네 슬픔"이라고 말하고 있어 그 노동은 슬픈 노동이다. 왜 슬픈 것일까. 노동이 지나치게 힘들면 일에 억눌리게 되고 억눌린 노동은 슬퍼지는 법이다. 하지만 아울러 "물 밖으로 건져 내 반겨 주는 일"이 그 노동이기도 하기 때문에 너무 힘들어서 슬프면서도 그 힘은 삶을 물 밖으로 건져 내 다시 살게 하는 위력을 갖는다. 다시 살게 하니 반가울 수밖에 없다. 노동은 그렇게 슬프면서도 반가운 일이다.

시는 노동이라는 부력이 떠받치고 있는 것이 세상이라는 그의 발견을 보여 준다. 어떻게 보면 힘들게 일하고 살아가는 세상의 사람들 모두가 해녀의 변형일 수 있다. 그런 점에서 문원민은 숨비소리를 들은 것이 아니라 사실 스스로의 숨에서 해녀의 숨비소리가 겹쳐지는 체험을 한 것인지도 모른다. 그는 숨비소리를 들을 때 사실은 바다 밑으로 잠수하여 해녀의 곁을 다녀왔다. 숨비소리는 그가 몸의 체험을 통해 부력이란 말로 건져 낸 그의 채취물일 수 있다. 그리고 그 부력이란 힘이 살아가는 동안 그의 삶을 지탱했을 것이다.

그가 삶을 지탱해 준 힘으로 마주한 또 다른 힘은 파도이다. 그는 파도에 대해 이렇게 말한다.

> 파도는 멈춰 설 수 없어서 파도가 된 것입니다
>
> —「파도라는 거짓말」 부분

파도란 물결이다. 물의 움직임이 해변에 와서 부서질 때 파도가 된다. 그러나 시인이 파도에서 본 것은 "파도는 멈춰 설 수 없어서 파도가 된 것"이란 사실이다. 하긴 멈춰 서면 파도란 있을 수 없다. 그런데 파도는 죽음에 이르러서 드디어 파도이다. 해변에서 파도를 만들고는 사라지기 때문이다. 끊임없이 죽는데도 파도는 또한 끊임이 없다.

우리는 파도를 보지만 시인은 파도가 도달한 마지막 지점에서 "파도의 화석"을 본다. "뼈 한 조각 남김없이 죽은" 화석이어서 화석이란 것도 알 수 없는 화석이다. 화석은 시간을 견뎌 낸 흔적이지만 파도의 화석은 그 흔적마저 남기지 않는다. 다만 눈이 밝은 자에게만 파도의 자리에서 수많은 파도의 죽음으로 이루어진 화석의 지대가 보일 뿐이다. 시인이 그러한 파도에서 본 것은 곧 삶의 운명이었을 것이다. 삶도 파도와 같아서 멈출 수가 없다. 파도와 마찬가지로 우리는 끝내 죽으나 죽은 그 자리에서 매일매일 남겼던 수많은 일상의 화석으로 남는다. 우리는 죽으나 끊임없이 사는 파도가 된다. 그가 파도의 힘에 매료될 수밖에 없었을 것이다.

시의 제목은 다소 당황스럽다. 파도라는 단어 뒤에 거짓말이란 말이 붙어 있기 때문이다. 나는 처음에는 이를 마치 거짓말 같은 놀라움으로 읽었다. 어떤 힘은 너무 놀라우면 거짓말같이 느껴진다. 파도가 그렇다. 그러나 시집에 실린 시인의 말은 다른 해석을 가능하게 한다. 시인이 "대학에서 파도의 영역을 관장하는 지배방정식이던 2차 편미분방정식 라플라스 이퀘이션Laplace's Equation에 관해 배웠"다고 말하고 있기 때문이다. 그 방정식의 입장에서 보면 시인이 이해한 파도는 거짓말일지도 모른다. 그러나 이때의 거짓말은 과학에서의 거짓에 불과할 뿐 과학으로 이해하는 세상의 한계가 된다. 시는 그 과학의 너머에 있다. 과학이 거짓말이라 그어 놓은 선의 너머에서 그가 시의 영지를 보았고 그곳에서 그가 파도의 운명과 힘을 만났다.

파도에 관해선 끊임없이 움직이는 힘에 덧붙여 하나의 힘을 더 추가하지 않을 수 없다. 시는 그 힘을 부산의 한 바닷가 마을을 시의 영지로 삼아 우리에게 보여 준다. 그 마을의 이름은 임랑이며 행정구역 상으로는 부산시에 속해 있지만 마을이 자리한 곳은 기장이라 불린다고 한다. 시인은 그 마을의 바닷가를 마치 연인이라도 부르듯 다른 수식어 없이 그냥 임랑으로 부르고 있다.

시는 "임랑을 잊지 마세요"라는 말로 시작된다. 부산 인근의 작은 어촌에 자리한 바닷가 임랑은 그 지역을 대상화했을 때 대개의 경우 그 구절이 임랑을 어찌 잊을 수가 있겠는가라는 말로 바뀔 것이다. 잊지 마세요는 그와 달리 내가 남에게 하는 부탁이다. 마을의 바닷가와 거리감이 지워져 시인이 곧 임랑이기도 했다는 소리가 된다. 그 임랑에서 파도는 일어서는 힘이 된다.

임랑林浪은 수풀을 헤치고 일어서는 파도입니다

—「임랑林浪」 부분

살다 보면 힘들어서 쓰러질 때도 있는 법이다. 하지만 그는 잊을 수가 없는 임랑의 파도이기도 했으니 그때마다 그 파도의 힘으로 일어섰을 것이다.

부력과 파도의 힘에 이어 그에겐 또 다른 힘이 하나 더 있다. 그것은 깨금발의 힘이다. 깨금발이란 한 발을 들고 한 발로 서는 자세이다. 한 발을 드는 것은 놀이의 규칙이 그러하기 때문이다. 놀이는 동작을 어렵게 하고 그 어려움 속에서 선을 넘도록 한다. 그러나 시인은 한 발을 든 그 자세를 "허공에 발을 묶"은 자세로 칭한다. 들다는 동작이지만 묶다는 동작의 제한이 된다. 시인은 동작보다 그로부터 이루어지는 동작의 제한을 더 눈여겨보았다. 묶는다고 했지만 사실 "실도 없고 줄도 없"다. 그런 측면에서 발을 묶는 것 같지만 사실은 깨금발을 들 때 우리의 마음이 묶이는 것이다. 제한은 우리의 발을 묶지만 제한을 넘어서는 것은 눈부신 일이다. 그 눈부신 순간을 시인은 이렇게 적는다.

힘차게 탕탕탕 세 걸음을 뛰어
실금 위로 붕 떠올라
허공과 그림자를 번갈아 잡아채는,

아무도 눈치 못 채게 부싯돌 같던

—「깨금발」 부분

　　인생을 조금만 살아 보아도 우리는 사회가 공정하지 않다는 것을 안다. 사회는 태생적으로 제한적이다. 그 제한은 온갖 차별로 우리의 발목을 묶는다. 깨금발은 어린 날의 놀이에서 우리가 받아들여야 했던 규칙이 아니라 어디에서나 일상적인 제한이 된다. 많은 경우 우리는 사실 평생을 깨금발로 살아야 한다. 억울한 일이 아닐 수 없다.

　　그러나 놀랍게도 많은 사람들이 그 깨금발의 제한 속에서도 "힘차게 탕탕탕 세 걸음을 뛰어" 선을 뛰어 넘는다. 심지어 바다를 건너 미국땅에 이른다. 바로 그때가 "신열 나게 갖고 싶"은 「찬란」한 순간이 아닐까. 어린 날, 놀이에서의 그 부분은 사실 작은 부분이다. 그러나 그 작은 성취가 훗날 사회에서 온갖 제약을 넘어서는 힘의 바탕이 되는 것인지 모른다. 그런 측면에서 그 작은 부분은 불길을 시작하는 '부싯돌'의 불꽃에 방불한다. 그에겐 바로 불길로 번져 나가는 그 깨끔발의 힘이 있다.

　　문원민은 한동안 미국에서 살았다. 그곳에서의 삶은

힘들었으나 그는 힘든 와중에 한국의 몇십 배에 달한다는 미국땅을 시의 영지 속에서 재편하여 삶이 불안한 이주자들과 원래 그곳의 주인이었던 인디언에게 내주고 고향과 어머니를 불러들이며 아내와 딸들로 이루어진 가족의 영지로 삼아 그곳을 살아 낸다. 그리고 그 삶을 부력과 파도, 깨금발의 힘이 근원적으로 받쳐 주었다. 그가 재편한 시의 영지 속에 정작 미국의 지분은 없다. 나는 시를 읽어 가다 별일이 없었으면 미국땅이 우리 땅이 될 뻔했네 하고 피식 웃었다. 그러나 미국 생활의 와중에 병이 왔고, 그는 고국으로 돌아왔다.

미국엔 그렇게 인색했던 시인이 병에겐 시의 영지를 스스럼없이 내준다. 그러나 시의 영지를 병에게 내주면서도 병의 위중함이 알려지는 것은 조심한다. 가령 「키모 포트」라는 시의 제목이 그러하다. 그것이 무엇인지를 아는 사람들에게는 그 말만으로 그가 앓고 있는 병의 위중함이 금방 감지되겠지만 그것이 무엇인지를 금방 알아차릴 수 있는 사람은 많지 않다. 자신의 병이 사람들의 걱정으로 뒤덮이는 일이 염려스러운 그의 마음 때문일 것이다.

그러나 그의 시가 죽음을 말할 때가 있다. 「가상칠언

架上七言」이 그중의 하나이다. 그의 병이 위중하다는 뜻이다. 시는 다음과 같이 말하고 있다.

　　힘없고 약하고 어린 것들아

　　내가 대신 아플게

　　네 병을 모두 내게 다오

　　내가 대신 울어 줄게

　　모두 내게 다오

─「가상칠언架上七言」부분

　가상칠언은 예수가 십자가 위에서 남긴 일곱 마디의 말이다. 종교를 갖지 않는 나는 가상이란 말이 십자가 위를 뜻하지 않고 실제의 반대말인 가상假想으로 들렸다. 누구도 죽음의 체험과 함께 말을 남기기는 어렵다. 때문에 죽음 앞에서 남긴 말이 내게는 죽음을 가정하고 남긴 말로 생각되면서 십자가 위가 아니라 실제가 아닌 가상현실의 가상으로 바뀌어 들렸다. 그리고 그 순간 예수의 말은 말이 아니라 말의 그릇이 된다. 말의 그릇은 원래는 예수의 말로 채워져 있었으나 말의 그릇이 되는 순간 채워져 있던 말은 비워지고 시인에게 빈 그릇으로 건네진다. 시인은 자신에게 건네진 말의 그릇에 이제 스스로의 일곱 마디 말을 채운다.

그 일곱 마디 말 속에서 죽음은 두려움이나 공포의 대상이 아니라 "잊고도 살아지"는 "떠난 연인"이 된다. 떠났으니 미우나 한때 사랑이었으니 마냥 미워할 수는 없을 것이다. 병은 자신만의 불행이 아니라 그가 몸으로 앓아 잘 알게 되면서 특히 "힘없고 약하고 어린 것들"의 병에 대한 안타까운 마음이 된다. 죽음은 또한 막연한 불안이 아니라 "돌아오지 않는 남편 같아서 / 어느 길목에서 우연히 마주"쳐도 놀라지 않고 지나칠 수 있는 기다림의 끝이 되고, 모든 한과 불신을 담아 가는 기회가 되고, 기다림이긴 하나 "집 나간 아내 같아서" 기다림을 접을 수도 없는 기다림이 되고, 그가 "헤어"짐을 안고 가면 더 이상의 이별은 없는 이별의 끝이 되고, 그럼에도 많은 사람들의 가슴에 아픔이 되어 녹슨 못자국처럼 오래 남을 자국이 된다. 내게는 그 일곱 마디 말이 평범한 사람이 인간이란 이름으로 죽음 앞에서 이를 수 있는 가장 극한의 지평처럼 들렸다. 그는 시의 영지에서 그 극한의 지평을 열고 있었다.

죽음을 생각지 않을 수 없는 병을 마주했지만 시인은

그 시간을 항해박명이라 칭하며 그 시간이 열어 줄 새로운 세상에 들뜬다. 그의 시에 기대면 "항해박명(12도)은 더 이상 수평선을 육안으로 구별하기 어려워지는 시간, 그제야 별이 보이고, 별의 위치에 따라 항로를 찾을 수 있기 시작하는 시간"이다. 인생에 비유하면 황혼이란 말이 그 시간을 가리키게 된다. 그 항해박명의 시간을 시인은 시의 영지에서 이렇게 수정한다.

해가 졌으나 지지 않은 시간보다, 해가 졌으되 완전히 져서 땅에서도 바다에서도 하늘 어디에서도 그 가능성이 완전히 사라지는 시간까지를 나는 황혼이라 부르고 싶습니다. 인생은 해처럼 떠서 달처럼 저뭅니다. 어둠 속에서만 빛나는 별처럼 말입니다. 나의 황혼은 항해박명이었으면 합니다.

—「항해박명航海薄明」 부분

그러므로 시의 영지에서 그는 지금 삶을 위협받는 병중에 있지 않다. 그는 단지 박명의 시간을 항해 중일 뿐이다.

3

그의 시를 읽어 가는 여정의 마지막 걸음으로 나는
「할매탕」에 들러 보기로 한다. 할매탕은 제목만으로 보
면 목욕탕으로 생각되지만 시는 목욕탕에 대한 기억을
말하고 있지 않다. 시는 할매탕에서 때를 밀어 주는 사람
의 일을 상세하게 기록하고 있다. 보통 세상은 사람을 그
사람의 직업이 사회에서 차지하는 위치로 바라보며 서
열화할 때가 많다. 그 서열에서 직업이 뒷자리에 놓일수
록 무시받고 천대받는 삶을 감내하며 살아가지 않을 수
없게 된다. 하지만 시인은 오직 그가 하는 일의 경이로움
으로 그를 바라본다. 그런 시선 속에서의 그는 놀랍기만
하다.

그는 "퇴화할 수밖에 없는 중년의 / 슬픔의 역사를 모
두 아는 / 비뇨기과 전문의" 같다. 나아가 "세로로 사 등
분 해 / 등과 왼쪽 오른쪽 옆구리와 / 앞가슴과 사타구니"
를 깨끗이 씻어 줄 때면 해부학자가 된다. 그에서 끝나지
않는다. 그의 손길에서 "피부로부터 지방을 지나 / 깊은
속살과 혈관과 뼈가 맞물리는 / 길까지 속속들이 아는"
능숙함이 감지될 때면 그는 고고학자이다. 그리고 마지
막에 이르러서 그의 손길을 장의사처럼 움직인다.

눌어붙은 누룽지 같은 비늘을 벗겨 내며

습襲과 반함飯含과 소렴小殮 대렴大殮을 하는

장의사처럼

—「할매탕」부분

그가 장의사였다면 그의 손길 끝에선 우리의 몸은 관으로 향하였을 것이나 그의 노동은 놀라워서 그 끝에서 우리는 일어나 "요구르트 하나를" 입에 물고 목욕탕 문을 나서게 된다. 그의 손길은 몸을 죽음으로 마무리하는 것이 아니라 우리로 하여금 "노란 장판이 깔린 세신 테이블"에 누워 잠깐의 시간을 보내는 것으로 죽음을 다녀갈 수 있게 해준다. 놀라운 경지가 아닐 수 없다. 그 노동이 요구하는 대가는 3만 원이지만 "꼬깃꼬깃 접힌 오만 원권 지폐 한 장을 내려놓고/거스름돈을 사양"한 것이 그의 노동에 바친 시인의 예의이다. 시의 영지에선 노동의 가치를 알아보고 그에 대해 예의를 갖추는 세상이 시작된다. 어디나 시의 영지가 되는 것은 아니지만 그가 시의 영지로 자리를 내주면 그곳은 시로 물들고 힘든 사람도 살 만한 곳이 된다.

나는 미국땅에서 시작하여 이 땅의 어느 목욕탕까지

문원민이 내준 시의 영지를 중심으로 그의 시를 돌아보았다. 어떤 곳은 너무 멀어 가기가 어렵지만 어떤 곳은 우리 곁에서 비슷한 곳을 쉽게 찾을 수 있다. 또 어떤 곳은 조금 멀긴 하지만 마음만 먹으면 갈 수 있으며, 또 단순히 발을 하나 드는 것으로 우리가 서 있는 곳이 곧 시의 영지가 되기도 한다.

그가 사는 부산은 여러 번 갔었다. 대개 놀러간 길이었다. 해운대와 송도가 주로 걸음한 곳이었다. 하지만 다음에는 임랑을 찾아가 볼 생각이다. 한 시인이 내준 시의 영지를 직접 체험한다는 것은 남다를 것이기 때문이다.

그리고 누군가 삶을 힘들어하면 그에게 가능하면 제주에 가서 해녀의 숨비소리를 들어 보라 권할 것이며, 깨금발로 세 발 정도 뛰어 보라는 권유도 잊지 않을 것이다. 또 부산에 내려가 임랑을 한번 찾아보라 말해 줄 생각이다. 그가 다시 돌아왔을 때 파도처럼 일어난 그를 마주하게 될지도 모른다. 시의 영지는 신비로워서 그 세상으로 들어온 세상 사람을 물들인다. 세상에 그가 내준 시의 영지가 여기저기에 있다.

문학평론가 김동원

파도라는 거짓말

초판 1쇄 펴냄   2024년 6월 13일
초판 2쇄 펴냄   2024년 7월 1일

지은이   문원민

펴낸곳   풍월당
출판등록   2017년 2월 28일 제2017-000089호
주소   [06018] 서울시 강남구 도산대로 53길 39, 4층
전화   02-512-1466
팩스   02-540-2208
홈페이지   www.pungwoldang.kr

ISBN 979-11-89346-68-3 03800